데스마치에서 시작되는
이세계 광상곡
2

리자
비늘 종족의 소녀.
사토의 노예.
포치
강아지 귀 종족의 소녀.
사토의 노예.
타마
고양이 귀 종족의 소녀.
사토의 노예.

사토
이세계를 헤매고 있는 서른 줄 프로그래머.
제나 마리엔텔
사작 영애면서 세류 백작가의 마법병.
루루
쿠보크 왕국의 옛 왕녀. 아리사의 언니.
아리사
쿠보크 왕국의 옛 왕녀. 일본의 지식을 가진 듯 한데……?

“우리 주인님한테서 손치우지 못해애애애!”
보이지 않는 공격이 젠을 직격했다.

데스마치에서 시작되는 이세계 광상곡 2

아이나나 히로

Death Marching to the Parallel World Rhapsody

Presented by Hiro Ainana

CONTENTS

Death Marching to the Parallel World Rhapsody 2

한밤의 소동

"사토입니다. 보쌈을 해본 적도 당한 적도 없지만 기회가 있으면 꼭 섹시한 누님으로 부탁 드리고 싶어요."

답답하다 싶어서 눈을 뜨니, 어린 소녀가 알몸으로 허리 위에 올라타 있었다.

……이게 뭐야? 꿈인가?

옛날에 연휴라서 시골 할아버지 집에 갔을 때, 여동생이나 사촌동생들이 자고 있는 나한테 올라타면서 깨우러 왔을 때랑 비슷했다.

다른 점이 있다면 어린 소녀가 알몸이라는 것과, 사촌동생들처럼 천진난만한 분위기가 아니라는 것이다.

조금씩 움직이던 소녀가 마지막으로 커다랗게 몸을 떤 다음, 다 드러난 내 가슴팍 위로 무너졌다. 표정이 어린 소녀라기보다는 여자의 표정이라고 해야겠는데?

"어머? 깼어?"

내가 깨어난 것을 깨달은 보라색 머리칼의 어린 소녀— 아리사가 가볍게 키스를 했다.

"우후후. 키스해 버렸네."

장난스레 속삭이더니, 내 가슴에 손을 짚고 몸을 일으키며 조금 부끄러운 듯 미소 지었다.

그 행복한 표정이 사랑스러워서, 아리사의 볼을 상냥하게 쓰다듬었다.

—사랑스러워서?

분명히 사랑스런 얼굴이지만, 이렇게 어린 소녀를 상대로 품을 감정이 아닌 것 같은데.

나는 그 사소한 당혹감을 번잡스레 여기며 사고의 구석으로 몰아내고, 아리사를 보았다.

몸의 윤곽이 어렴풋이 엷은 보라색 빛을 띠고 있었다.

너무나 신비적이다.

"그렇게 쳐다보면 부끄러워."

어느샌가 아리사의 얼굴을 응시하고 있었나 보다. 아리사가 싫지는 않은 표정으로 내 코를 건드렸다.

마치 마음까지 소년으로 돌아가버린 것처럼 부끄러움을 느끼고 시선을 얼굴에서 돌렸다.

아까 보인 엷은 보라색 빛은 기분 탓이었는지, 이제는 보라색 머리칼에 아주 약간 흔적이 남아 있는 정도였다.

흘러내린 머리카락을 눈으로 좇자, 아리사의 작은 가슴이 머리카락으로 가려진 곳까지 시선이 흘러가고 말았다.

"아이 참. 남자들은 **엉큼**하다니까……."

아리사가 부끄러운 듯 머리카락 위에 손을 대어 가렸다.

나는 아리사에게 사과하면서, 이 상황에 이르기까지 일어난 일을 떠올렸다.

노예상인에게서 두 사람을 산 다음, 우리는…….

◆

“낮이나 밤이나 쉬지 않고 봉사하며, 정력적으로 주인님을 섬기겠습니다.”

보라색 머리칼의 어린 소녀— 아리사는 계약 의식을 할 때 그렇게 말했다. 아인 소녀들이나 흑발의 미소녀— 루루는 별말 없었는데 나름대로 자신을 어필하는 건가?

노예계약의 의식이 끝나고, 노예상인 니들렌에게 대금으로 금화 한 닢을 지불했다.

그리고 아인 소녀들을 노예 신분에서 해방시켜주려고 했는데 니들렌이 말렸다.

시가 왕국 북부의 아인 차별이 심한 곳에서는 요정족 같은 일부 예외를 제외하면, 평민 아인은 도시에 들어오지 못하거나 노예 이하로 취급 받는다고 가르쳐 주었다.

무엇보다도, 아인 소녀들이 「버리지 마세요」하면서 울먹이며 매달리길래 이 이야기는 없었던 걸로 했다.

시가 왕국 남부의 공도 같은 곳에 갔을 때 다시 한 번 검토

해봐야지.

내가 노예에 관한 지식이 얼마 없다는 것을 깨달은 니들렌이 노예에 대한 지식이나 취급을 이것저것 알려주었다.

내일 모레 오전까지는 아까 그곳에 있을 거라고 하니, 알고 싶은 일이 있거나 노예를 추가로 살 거면 언제든지 오라고 했다. 알고 싶은 건 있을지도 모르지만 노예를 늘릴 예정은 전혀 없었다.

아까 노예계약의 의식을 했을 때 「계약(컨트랙트)」이란 스킬을 입수했다. 이걸로 직접 해방할 수도 있을 것 같았지만 그리 간단하지 않았다.

이 「계약」은 영창이 필요했다. 『계약』에 특화된 마법 스킬인가보다.

「계약」은 노예계약 말고 일반적인 계약에도 사용되는 스킬이라고 한다.

우리는 천막 바깥으로 나와 서로 자기소개를 하면서 커뮤니케이션을 취하기로 했다.

"그러면 다시 한 번 자기소개를 하겠습니다. 이제는 없는 쿠보크 왕국에서 태어난 아리사라고 하옵니다. 올해로 11세, 성인이 되려면 4년 남았습니다만, 서투르게나마 밤의 봉사도 기꺼이 하겠습니다. 오래오래 예뻐해 주세요."

나이에 안 어울리게 유창한 인사를 마친 아리사가 옷자락

양쪽 끝을 가볍게 들면서 인사를 했다. 동작은 우아하고 기품이 있었지만 옷자락이 짧은 데다가 앞으로 여미는 간소한 옷이라 허벅지 윗부분까지 다 보였다.

그래서 시선을 아리사의 얼굴로 되돌리며 간단하게 대답했다.

"나야말로 잘 부탁한다. 내 이름은 사토야."

물론 어린 소녀에게 밤의 봉사를 시키는 건 노땡큐다.

"……루루입니다. 14세입니다. 쿠보크 왕국 출신입니다. 이렇게 추녀인데다 몸도 빈약하여…… 밤 상대는 맡지 못할 것이라 생각합니다만, 소처럼 열심히 일하고자 하니…… 버리지 말아 주세요."

루루는 앞머리로 얼굴을 가리듯 고개를 숙이며 자기소개를 했다. 목소리가 맑은 소프라노 톤이라서 참 듣기 좋았다. 떨고 있지 않았더라면 더욱 좋았을 텐데…….

본인은 빈약하다고 하지만 B컵은 되는 것 같고 14세에 B라면 장래가 유망하다고 생각하는데, 이쪽은 거유 지상주의인가?

말캉하기만 하면 되는 것이 아니던가?

뭐, 중학생 나이인 루루에게 밤의 봉사를 시킬 생각은 애당초 없지만 말이다.

아리사와 함께 루루까지 산 이유는 그런 목적이 아니라 아리사가 부탁했기 때문이다.

나는 저렇게 어린 아이가, 하나뿐인 언니랑 헤어지기 싫다고 눈물 지으면서 호소하는데 거절할 정도로 박정하지 못했다.

그리고 일본에 관련된 정보를 제공해준 뒤에는 아리사를 노예에서 해방시킬 테니까, 가족이 있다면 함께 지내는 편이 좋겠지.

둘 다 미인이지만 명백하게 인종이 다르니, 부모 중 한 쪽이 다르거나 의자매인가 보네.

그건 그렇다 치고, 이런 미모를 가지고서 추녀라고 하는 건 겸손이 지나치다.

고개를 숙이고 있지만, 옛날에 TV에서 본 전국 미소녀 콘테스트 우승자랑 비교해도 밀리지 않을 정도로 정통파 미소녀라니까.

말하자면 내 취향이란 거다. 성격까지 내 타입이라면 그녀가 스무 살쯤 되었을 때 프로포즈 하는 것을 생각할 정도였다.

아차, 괜한 생각으로 루루를 보는 시선에 사심이 섞이면 안 되지. 나는 관자놀이를 가볍게 두드려서 잡념을 떨쳐냈다.

두 사람에 이어서 아인 소녀들도 인사를 하라고 시켰다.

"포치, 인 거예요."

"타마."

포치와 타마는 낯을 가리는 건지 말수가 적었다.

두 사람의 이름을 들은 아리사가 움찔 반응하면서 입가를 떨었지만, 딱히 감상을 말하지는 않았다.

"주황 비늘족의 리자라고 합니다. 태어난 고향이었던 주황 비늘족 마을은 족제비 수인족의 습격으로 멸망했고, 노예가 되어 시가 왕국에 팔렸습니다. 다행히 근사한 주인님이 거두어 주셔서—."

리자, 말이 길다.

아리사와 루루는 아인에게 편견이 없는지 아인 소녀들이 후드를 벗고 얼굴을 드러내도 혐오감을 보이지 않았다. 타국에서는 아인도 혐오대상이 아닌 걸까?

아리사와 루루가 평범하게 대응하자, 아인 소녀들도 금세 두 사람과 친해졌다.

아리사는 포치와 타마의 귀를 만지면서 고개를 빙글 돌려 말을 걸었다.

"그건 그렇고 귀 종족 아이들을 용케 노예로 삼으셨네요."

"아아, 좀 인연이 있어서."

개 수인족이나 고양이 수인족이 많아서 나도 착각했었는데, 강아지 귀 종족과 고양이 귀 종족은 세류 시뿐만 아니라 백작령 전체에서도 포치와 타마밖에 없을 정도로 희귀 종족이었다.

"이 아이들은 인간족의 몸에 수인의 귀와 꼬리가 나 있어서 불길하다며 버려졌습니다만, 착한 아이들이니 미워하지 말아 주세요."

리자가 아리사에게 포치와 타마에 대해 말해주었다.

포치와 타마의 칭호로는 「사토의 노예」, 「뒤바뀐(체인즐링) 아이」, 「미궁 탐색자」 말고도 「~살해자」 같은 전투계열이 있다. 이중에서 야마토 석에 표시되는 것은 처음 하나뿐이었다.

비표시인 「뒤바뀐 아이」가 판타지한 의미가 아니라면, 격세 유전이라든가 선조회귀 같은 게 아닌가 싶었다.

"물론이죠. 이렇게 귀여운데 미워할 리가 없어요."

"귀여워~?"

"타마는 귀여운 거예요!"

"포치도 귀여워~."

아리사가 칭찬해주자 기뻤는지, 포치와 타마가 몸을 배배 꼬면서 부끄러워했다.

꽤 궁합이 좋아 보이네.

"그러면 숙소로 돌아가자."

노예상의 천막 앞에 계속 있을 수도 없는 일이니, 다섯 명을 데리고 여관이 있는 거리에 돌아가기로 했다.

아리사가 자연스럽게 왼팔을 잡더니 팔짱을 끼었다. 스킨십 과잉이지만, 미아가 되지 않도록 손을 잡는 거라고 생각하면 딱 좋았다.

남은 한쪽을 포치와 타마가 서로 차지하려고 했지만, 좀처럼 결판이 나지 않자 리자가 두 사람을 짐짝처럼 양팔로 들었다.

둘은 포기했는지 팔다리를 추욱 늘어뜨리고 얌전해졌다.

……저 포즈 참 좋아하네.

창을 들고서 둘을 운반할 수가 없으니, 리자의 창을 내가 들었다.

"제가 들게요."

루루가 말했지만, 가녀린 여자애가 들기에는 너무 무거워서 건네주지 않았다.

해가 저물어 저녁 식사 시간이 되자, 광장의 노점에서 맛있는 냄새가 풍겼다.

서쪽 거리는 외식이 기본인지, 유복해 보이지 않는 복장의 사람들도 노점에서 식사를 하고 있었다.

가만 보니 목걸이를 달고 있는 노예들도 평민들 사이에서 식사를 하고 있었다. 단, 평민과 같이 먹는 것이 아니라 땅바닥에 앉아서 먹고 있었다.

꼬르르르르르륵~.

귀여운 소리가 났다. 돌아보니 루루의 얼굴이 새빨갰다.

미소녀가 부끄러워하니 사랑스럽군. 지금은 연애대상이 아니지만 장래가 기대된다.

"맛있는 냄새가 나니까 근처에서 저녁을 먹고 돌아갈까?"

대답을 들을 필요도 없겠지만 일단 물어는 봤다.

"뭐 먹고 싶니?"

"고기~?"

"고기가 좋은 거예요!"

"주인님께서 베풀어주시는 거라면 뭐든지 상관없지만, 굳이 고르라고 말씀하신다면 꼬치구이가 가장 좋다고 생각합니다."

응, 애네들 셋의 대답은 예상대로였다.

"노예의 식사는 챙겨 주시기만 해도 대단하다고 생각합니다만?"

아리사가 신기하단 표정으로 고개를 갸웃거리길래, 어떤 걸 먹고 지냈는지 물어봤다.

"세류 시에 도착하기 전까지는 호밀빵과 미지근한 소금 맛 수프가 가장 성찬이었어요."

어떤 의미로는 노예 식단의 정석이군.

하지만 아리사에 이어 아인 소녀들의 대답을 듣고서 기겁했다.

"도토리~?"

"잡초~."

"저희 같은 아인 노예의 경우 하루에 한 번 식사가 나오면 나은 편이라, 공복을 달래려고 공원의 나무 열매에서부터 들꽃까지 먹을 수 있는 거라면 뭐든지 먹었습니다. 작은 동물이라도 잡히면 노예들끼리 나눠먹었지요."

하지만 그런 극한상황에서도 나눠먹는구나. 아인 소녀들의 성품이 좋은 건 타고난 것도 있겠지만, 서로 돕는 환경에서 자랐기 때문일지도 모른다.

하다못해 나랑 있는 동안에는 좋아하는 걸 배불리 먹여줘야지.

"젊은 나리!"

광장에 커다란 목소리가 울렸다.

불린 사람이 귀가 어두운지, 몇 번이고 「젊은 나리」라고 부르는데도 안 들리는 모양이다.

"주인님."

리자가 부르길래 돌아봤다.

"왜 그러지?"

"노점 주인이 주인님을 부르는 것 같습니다……."

조심스레 지적하길래 목소리가 들리는 쪽으로 시선을 돌리자, 낯선 남자가 손을 흔들고 있었다.

"이제야 들으셨구만! 젊은 나리!"

누구더라?

"주인님, 슬라임에게서 구해주었던 남성입니다."

"아아, 그 사람."

이 세계에 온 이후로 만난 사람의 얼굴은 완벽하게 기억하고 있다고 생각했는데, 기억하려는 사람이 아니면 평범하게 잊어버리나 보다.

일단 무시하기도 그래서 그쪽으로 가봤다.

"젊은 나리. 괜찮으면 이것 좀 먹고 가! 물론 노예 아가씨들도!"

중년의 점주가 함박미소를 지으며 우리를 노점 뒤쪽 공간으로 안내해 주었다.

기왕 이렇게 됐으니 이 가게에서 먹을까?

고기 요리 냄새가 나는 데다가, 무엇보다도 아인 소녀들에게 호의적인 가게는 귀중하다.

"당신 뭐해? 큰 소리로— 어머나 손님이야?"

"그래, 아까 얘기했었지? 미궁에서 목숨을 구해준 아인 아가씨랑 성의 지하감옥에서 도움을 주신 젊은 나리야."

"성 지하에서 고기 요리가 나왔다는 헛소리 말야?"

"헛소리 아니라니까."

물이 담긴 통을 두 손에 하나씩 든 덩치 좋은 중년여성이 다가왔다.

이야기를 들어보니 가게 주인의 부인인가 보다.

"알았어, 알았어. 우리 집 양반 목숨을 구해줘서 고마워요. 오늘은 공짜로 먹여줄 테니까 배불러서 꼼짝 못할 때까지 먹으라구!"

"만세~?"

"야~호, 인 거예요!"

"호의에 감사드립니다."

공짜란 말에 포치와 타마가 문자 그대로 만세를 부르며 기뻐했다.

"어머나. 노예치고는 예의가 바르네. 지식노예니?"

"아니요. 노역전문입니다. 시가 국어를 가르쳐주신 지식노예 분이 정중한 말투를 쓰셨어요."

리자가 옛날 일을 그리워하듯 조용한 어조로 말했다.

리자의 표정이 예뻐서 잠깐 보고 즐긴 다음, 취사 공간을 둘러보았다. 아직 개점하기 전이라 그런지 우리들 말고는 아무도 없었다.

나는 점주 부부에게 노예 소녀들도 의자에 앉혀도 된다는 허가를 받았다.

처음에는 주인아줌마가 눈썹을 찌푸렸지만, 점주의 은인이라는 것을 떠올렸는지 태도가 바뀌어서 허가해 주었다.

다만, 다른 손님들이 보면 문제가 생길 수 있으니 바람막이로 가려진 장소에 자리를 마련하고 식사를 주문했다.

"자, 나왔소이다. 알고 지내는 정육점에서 방금 막 해체한 붉은 사슴의 내장을 받아왔지."

점주가 자랑스레 말하며 그릇에 듬뿍 담긴 내장탕을 사람 수만큼 탁자에 놓았다. 더욱이 삶은 감자가 들어있는 커다란 바구니가 테이블 한가운데 턱 놓였다.

내장탕에는 내장만 있는 게 아니라 힘줄, 누에콩만한 크기의 시가대두라는 녹색 콩, 은행 비슷한 나무 열매도 껍질째로 들어가 있었다. 검고 가는 건 우엉인가?

고기를 잔뜩 본 포치와 타마의 눈이 반짝거리며 빛났다.

리자도 새침한 표정이지만 꼬리는 솔직해서 땅을 탕탕 치고 있었다.

"그러면 식기 전에 먹자."

아리사와 루루는 「잘 먹겠습니다」라고 한 다음 먹기 시작했다. 루루는 아리사에게 배워서 습관이 되었다고 한다.

나는 사회인이 된 이후로는 외식이 많았기에 아인 소녀들에게 「잘 먹겠습니다」나 「잘 먹었습니다」를 가르치지 않았다.

식사하기 전에 손을 씻는 거라든가, 식사할 때 식기를 쓰라는 건 가르쳤지만…….

"아뜨뜨, 인 거예요."

"호오호오~?"

요리를 급하게 입에 넣은 포치와 타마는 요리가 뜨거워서 어쩔 줄 모르고 있었다.

"후후 불어서 식힌 다음에 먹어라."

"네잉!"

"네, 인 거예요!"

내가 포치와 타마에게 후후 부는 동작을 가르치자, 보고 있던 아리사가 입가를 손으로 가리며 고개를 숙였다.

"모에사(死) 시킬 셈이야?"

엿듣기 스킬이 아리사의 속삭임을 전해줬지만, 있는 힘껏 무시했다.

"마시써어~?"

"맛있는 거예요!"

포치와 타마는 포크를 단순하게 움켜쥐고 있는 탓에 얼굴을 식탁에 가까이 대며 먹었다. 두 사람의 머리칼이 그릇에 들어갈 것 같아서 끈을 사용해 묶어줬다. 그러자 어째 다른 애들이 부러운 눈초리로 보길래 모두에게도 끈을 나눠줬다.

물론 두 사람 뿐만이 아니라, 다들 음식을 먹고 있었다.

리자는 고기 한 조각을 포크로 찔러 입에 넣더니 진지한 표정으로 씹었다. 식사를 하는데 마치 수행을 하고 있는 것처럼 보였다.

아리사와 루루는 말이 없었는데, 음식이 입에 안 맞아서가 아니라 필사적으로 먹느라 그런 것이었다.

아리사는 기품 있는 태도를 취했지만, 내장탕이 어지간히 입맛에 맞는지 작은 볼이 미어터지도록 욱여넣고 있었다. 필사적인 모습이 다람쥐 같아서 귀여웠다.

루루도 얌전하지만 열심히 먹고 있었다.

"정말 맛있습니다."

"말랑말랑?!"

"이쪽은 오독오독한 거예요!"

리자가 내장탕의 맛을 찬양하자, 포치와 타마도 적은 어휘로 감상을 말했다.

아리사와 루루도 입을 손으로 가린 상태로 고개를 끄덕이며 동의했다.

식사풍경을 즐기는 건 이쯤하고 나도 먹어야지.

냄새는 충분히 즐겼고, 내장탕의 수프를 스푼을 사용해 입으로 옮겼다.

응. 조금 소금기가 강하지만 상당히 맛있다.

이 부근에는 육체노동자가 많은 것 같으니 그들의 입맛에 맞춘 거겠지.

애당초 내장 요리는 다채로운 식감이나 맛을 즐길 수 있어서 좋지만, 특유의 잡내가 거북하다는 사람도 있다. 여기는 밑준비를 잘해서인지, 같이 끓인 향초가 특수한 건지는 모르겠지만 냄새가 나지 않았다.

"젊은 나리, 맛은 어때?"

"성에서 나오는 요리에 뒤지지 않을 정도로 맛있어요."

"그건 과한 칭찬이구만. 크하하."

점주가 코밑을 비비며 쑥스러움을 감추려는 듯 호쾌하게 웃었다.

칭찬을 받아서 기뻤는지, 잠시 시간이 지나자 추가로 그가 다른 요리를 가져다 주었다.

"젊은 나리, 괜찮으면 이것도 어때?"

그렇게 말하며 가져온 그릇에는 내장을 부추 같은 향초와 함께 볶은, 이른바 대창볶음이 듬뿍 쌓여 있었다.

다른 한쪽 손에는 심장이나 간을 저며서 구운 것들이 있었다. 이쪽은 양이 적었다.

"호화롭네요."

"물론이지. 뜨거울 때 드시게나!"

"요즘에 사냥꾼들이 이상하게 사냥을 많이 해오거든. 평소보다 싸게 들여왔으니까 신경 쓰지 말고 드시우."

주인아줌마가 말을 보탰다.

유성우가 원인이 되어 사냥감이 줄어들지 않아 다행이다. 깊은 산속에 흉악한 마물이 나타나서 사냥감이 늘어난 것이 아니길 바란다.

사모님이 그렇게 말해줬으니 걱정을 접어두고 사양 말고 먹어야지.

루루는 기가 약해 보여서, 먼저 작은 접시에 조금씩 담아서 건네주었다.

그 흐름에 따라서 어째선가 모두에게 조금씩 덜어서 주게 되었다.

〉「봉사」 스킬을 얻었다.

이상한 스킬을 얻었지만 스킬 포인트를 분배할 생각은 없다.

큰 그릇의 요리는 모두 맛있었지만, 특히 간 구이가 좋았다. 식중독이 무섭지만 이 정도면 회로 먹어보고 싶네.

새로운 고기 요리를 보고 들뜬 타마와 포치가 눈 깜빡 할 사이에 작은 접시의 고기를 해치우고, 이번에는 대창볶음에 달려들었다.

"맵고 맛나."

"매, 매웅 커예요."

둘은 곧장 한 입씩 먹었지만, 매운 맛 때문에 뭐라 말하기 어려운 표정을 지었다.

만화였으면 눈이 알파벳의 엑스로 표현될 것 같은 표정이다.

분명히 맵긴 했지만, 매운 요리에 익숙한 내 혀에는 보통 정도였다. 혀가 아릴 정도가 아니면 맵다고 느끼지 못하는 수준이라 조금 위험한 것 같기도 하다.

"고춧가루를 넣어서 볶은 모양입니다. 포치, 타마, 매운 게 싫으면 무리하지 않아도 돼요. 내가 책임지고 먹을 테니까요."

리자는 포치와 타마를 배려하면서도, 대창볶음을 듬뿍 집어 입으로 옮겼다.

진작에 내장탕을 다 먹은 포치와 타마가 포크를 물고서 부러운 듯 리자를 보았다.

그게 안쓰러웠는지, 아리사가 자기 그릇에 있던 간 구이를 포치와 타마의 그릇에 옮겨 주었다. 단순히 아리사의 입에 안 맞는 걸지도 모르지만, 포치와 타마는 의자 위에 올라설 정도로 기뻐했다.

아리사와 루루는 그렇다 치고 아인 소녀들은 양이 부족해 보이길래 추가주문을 하려고 일어섰다. 당장에 리자가 따라서 일어섰다.

"주인님, 무슨 용건이 있으시면 제가 대신 가겠습니다. 명령을."

"아니, 괜찮아. 추가주문을 하는 김에 근처 노점에서 아리사와 루루의 외투와 신발을 사려는 것뿐이다.”

“사, 사올 것이 있다면 제가!”

이번에는 루루가 자리에서 일어섰다.

포치와 타마는 간을 갉아 먹는 자세에서 멈추더니 시선만 이쪽을 향했다.

“다들 그대로 먹어라. 이건 『명령』이야.”

외투 같은 건 다 먹고 난 다음에도 괜찮겠지만, 정면에 앉아 있는 루루의 가슴이 언뜻언뜻 보여서 진정이 안 된단 말이다. 그 옆에 앉아 있는 아리사의 평평한 가슴은 완전히 다 보이지만, 그건 별로 상관없고…….

“왜 그래? 젊은 나리.”

“아아, 내장탕을 추가주문 할게요.”

“그래, 맡겨만 둬!”

얻어 먹는 입장에 추가로 주문하자니 마음이 편하지 않아서, 점주가 요리를 준비하는 동안 추가주문 요금으로 주인아줌마에게 대동화 몇 닢을 건넸다.

덤으로 사모님한테 다른 노점의 상품을 들여와도 되는지 물었더니, 간단히 허가해 주었다.

사모님은 포장해 가는 손님을 상대하려고 가버렸기 때문에, 요리를 준비하고 있는 점주에게 꼬치구이가 맛있는 가게를 소개 받았다.

“꼬치구이라면 저 빨간 깃발을 걸고 있는 가게가 좋아. 다른 가게는 밑 준비를 대충 하거든."

점주의 이야기에 따르면, 꼬치구이가 아니라 적당히 잘라서 굽기만 한 것도 있다고 했다.

나는 점주에게 인사를 하고서 빨간 깃발이 걸린 가게로 향했다.

새콤달콤한 양념의 꼬치구이가 아니라, 소금으로 간을 한 것밖에 없었지만 새 고기의 기름이 익는 냄새에 이끌려 그 자리에서 하나 먹어 버렸다.

숯불로 갓 구운 건 역시 다르군. 한 입 깨물었더니 고기의 육즙이 입안 가득 퍼졌다.

소금 간이 딱 좋은데, 식염이 아니라 암염 같은 복잡한 짠맛이 났다.

—아아, 시원한 맥주 마시고 싶다.

나는 점주에게 꼬치구이 맛을 절찬한 다음, 갓 구운 걸로 30개를 사서 모두가 기다리는 곳으로 향했다.

그러다가 근처 골목 사이에 뭔가 반짝이는 게 보여서 그쪽을 돌아보았다.

어둠 속에서 몇 쌍의 빛이 떠 있었다.

—개?

눈이 익숙해지기 전에 AR표시가 그 빛의 정체를 가르쳐 주었다.

개 수인족의 노예 아이들이었다. 고양이 수인족 아이도 있다.

한 걸음 다가가자, 빛들이 동요하듯 꿈틀거렸다.

또 한 걸음 다가가자, 겨우 어둠 속에서 그 모습이 보였다.

그냥 두 발로 걸어 다니는 개처럼 보였다. 일요일 아침의 아이들 방송에 나올 법한 사랑스런 모습이 봉제인형 같았다. 이런 애들을 박해하다니…….

그들의 눈이 내 손에 들린 먹다 만 꼬치구이에 고정돼 있었다.

몇 명은 눈을 감고서 황홀한 듯 냄새를 즐기고 있었다.

"먹을래?"

"……개애, 차나, 여?"

개 수인족 아이가 알아듣기 어려운 목소리로 대답했다. 아무래도 입 구조가 다르니까 시가 국어를 말하기 어려운가 보다.

천천히 고개를 끄덕여준 다음, 방금 산 커다란 이파리로 감싼 꼬치구이 꾸러미를 전부 선물했다.

"다들 사이 좋게 나눠먹어라."

"네에에."

"고마어."

입을 모아 인사를 하는 아이들에게 손을 흔들어주고, 빨간 깃발 가게로 돌아갔다. 이번에는 제대로 사서 돌아가야지.

새로운 꼬치구이가 익기를 기다리는 동안, 깜빡 하고 있었던 아리사와 루루에게 맞는 외투와 지푸라기 샌들을 샀다.

꼬치구이는 대호평으로 아리사뿐만 아니라 루루도 미소를

지었다.

리자에 이르러서는 감동의 눈물을 흘릴 정도였다.

"배 빵빵~?"

"행복 빵빵인 거예요!"

국물까지 남김없이 해치운 포치와 타마가 행복한 듯 한숨을 흘렸다. 물론 다른 세 사람도 만족스러워 보였다. 특히 리자는 말도 못하게 만족스런 표정으로 여운에 잠겨 있었다.

점주 부부에게 맛있는 식사에 대한 감사 인사를 하고, 다 함께 숙소로 돌아갔다.

◆

"어서 오세요—. 사토 씨?!"

문전여관 앞에 도달한 우리를 마사의 활기찬 목소리가 맞이해 주었다.

떨어뜨린 접시를 줍는 것도 잊고 달려온 마사가 가볍게 포옹하며 재회를 기뻐해 주었다.

입구에서 흥미진진하게 이쪽을 보고 있는 손님들을 헤치고 마담이 나왔다.

"마리엔텔 아가씨한테 얘기는 들었어. 고생했겠네. 방은 그대로니까 당장이라도 쉴 수 있는데……. 꽤, 수가 늘었군."

"네. 애네들이 없었으면 미궁에서 살아 돌아오지 못했어요."

아리사나 루루는 미궁을 나온 다음에 만났지만, 설명이 귀찮아지니까 생략했다. 뒤에 있던 아리사가 「미궁?」이라고 중얼거렸다. 나중에 설명해야지.

"그래서, 얘네들 묵을 방을 잡고 싶은데요. 빈 방 있어요?"

"그게 유감이지만 다 차서 말이지……."

마담이 어색하게 말을 흐리더니, 가게 안쪽에서 팔짱을 끼고 이쪽을 흘겨보는 주인아저씨를 보았다.

주인아저씨뿐 아니라 입구에서 이쪽을 살피는 손님들도, 아인 소녀들에게 어쩐지 악의가 있는 시선을 보내며, 누구에게 들려주려는 것도 아닌데 소근거리는 목소리로 욕하는 말을 나누었다.

음산한 집단 따돌림 같아서 성질나는데.

포치와 타마를 시선에서 감싸려고, 내 등 뒤에 숨겼다.

—다른 여관을 찾을까?

밤도 늦었으니 아리사와 루루만 내 방에서 재우고, 아인 소녀들과 함께 근처 공원에서 노숙하자. 노숙이라도 미궁의 돌바닥에서 자던 것보다야 낫겠지.

"마사. 여기 두 사람을 방으로 안내해줘. 마담. 두 사람의 추가 요금은 얼마죠? 나는 여기 세 사람이랑 어디서 노숙이라도 할래요."

퉁명스런 어조가 되지 않도록 하기 위해 조금 노력이 필요했다.

내심 짜증나서 떨리는 내 손을, 작은 손이 감쌌다—. 아리사였다.

"주인님. 진정하세요. 여러분도 그렇게 노려보시면 무서워서 몸이 떨린답니다."

아리사가 내 앞으로 나서더니, 마담 뒤에 있는 취객들에게 말을 걸었다.

말은 무섭다고 하지만, 도저히 어린애 같지 않게 여유가 있는 어조였다.

"사모님. 괜찮다면 헛간이나 마구간 한 칸을 빌릴 수 없을까요? 이 애들은 미궁에서 수많은 인간족을 구했답니다. 신상필벌[#1]은 군인의 말이지만, 이 아이들의 선행에 조금이나마 자비를 베푸실 수 없을까요?"

"아, 그래……. 헛간은 무리지만, 마차를 탄 손님이 적으니 마구간이라면 써도 괜찮아. 마사, 안내해 줘라. 사토 씨 방에는 침대를 하나 더 놔줄 테니까 너희들은 잠시 주점에서 기다리고."

자그마한 아리사의 말에 밀렸는지, 마담은 순순히 아인 소녀들이 마구간에 묵을 허가를 내 주었다. 취객들도 갑자기 독기가 빠진 표정이 되더니 슬슬 자기들 자리로 돌아갔다.

"조금이나마 도움이 되었나요?"

"그래. 덕분에 살았다."

#1 신상필벌 공이 있는 자에게는 반드시 상을 주고, 죄가 있는 사람에게는 반드시 벌을 준다는 뜻으로, 상과 벌을 공정하고 엄중하게 하는 일을 이르는 말.

약간 뽐내는 표정으로 올려다보는 아리사의 머리를 쓰다듬으며, 순순히 감사를 표했다.

마사에게 마구간으로 안내해달라고 해서, 새 지푸라기를 잔뜩 깔았다.

마사는 처음에 내키지 않는 듯 했지만, 대가로 건넨 은화가 큰 위력을 발휘해서 지푸라기를 마음껏 써도 된다고 허락해주었다. 그래서 사양할 것 없이 잔뜩 썼다.

지푸라기 더미 위에 방수 천막을 깔고, 그 위에 감촉이 좋은 시트를 덮었다. 이러면 잘 때도 지푸라기에 찔리지 않겠지.

지푸라기 침대를 만들 때 어째선가 「재봉」 스킬을 얻었다. 의미불명이지만 도움이 될법한 스킬이니까 운이 좋다고 생각하기로 했다.

내일 당장이라도 더 좋은 이불을 사야지—. 아니, 다른 여관이나 임대주택을 찾는 게 먼저군.

"푹신푹신~?"

"성에 있는 침대 같은 거예요!"

포치와 타마가 기뻐하며 지푸라기 침대에 뛰어 들었다.

두 사람을 흐뭇하게 바라보는 리자에게 식량과 무기가 든 가방을 맡겼다.

시내에서는 노예가 무기를 휴대하는 게 금지되어 있지만, 「주인님의 재산을 맡고 있다」는 명목으로 들려주는 것은 가능하다고 노예상인 니들렌이 가르쳐 주었다.

"만약 이상한 놈들이 숨어들면 죽지 않을 정도로 퇴치해라. 큰 소리를 지르면 당장 도우러 올 테니까."

"네, 주인님께서 맡기신 물건들은 무슨 일이 있어도 지켜내겠습니다."

"너희들 셋이 더 중요하니까 너희들 안전을 최우선으로 생각해. 여차하면 물건은 포기해도 된다."

주먹을 움켜쥐고 사명감에 불타는 리자에게 못을 박아두었다. 물건은 얼마든지 다시 살 수 있다. 세 사람의 목숨이나 정조가 훨씬 중요하다.

맡긴 물건들 속에 있는 식료품은 배고프면 마음대로 먹어도 된다고 말해 두었다.

내가 아침에 늦잠을 자서 애들이 배를 곪고 있는 것도 싫으니까.

예비 침대를 들여서 좁아진 방에 아리사와 루루를 데리고 왔다.

아인 소녀들의 침대를 만드는데 생각보다 시간이 걸렸는지 둘 다 조금 졸려 보였다. 아니, 루루는 졸립다기보다 지쳤는지 낯빛이 조금 창백했다.

자기 전에 아리사한테 일본어를 아는 이유 같은 걸 물어보고 싶었지만, 딱히 서두를 일도 아니니까 내일이라도 괜찮겠지.

"오늘은 그만 자자."

불빛이 촛대에 꽂힌 촛불뿐이라서 상당히 어둡다.

내가 외투를 벗자, 루루가 황급히 달려와 그것을 받더니 벽에 걸려있는 나무 행거에 걸었다. 로브를 벗는 것까지 도우려는 것을 부드럽게 말렸다.

"도와주지 않아도 돼. 너희는 잘 준비를 해라."

"……네, 네에."

루루가 조금 침묵하는 것을 신기하게 생각하여 살펴봤더니, 나와 눈을 마주치자 초조한 듯 뒤로 물러나다가 침대에 다리가 걸려서 뒤로 넘어가 버렸다.

"괜찮아?"

"괘, 괜찬, 괜찮아요! 괜찮습니다!"

일어서는 걸 도우려고 했더니 황급히 거부했다.

루루는 남자가 조금 거북한 모양이다.

—아니, 처음 보는 남자니까 평범한 반응인가?

"그래? 그러면 준비해라."

자신들의 잘 준비를 하라고 한 건데, 아무래도 착각을 한 모양이다.

두 사람이 갈아입는 걸 보지 않도록 등을 돌리고 벗은 로브를 갰다.

"준비됐습니다."

뒤에서 옷이 쓸리는 소리가 그치고 어느 정도 지나서 아리사의 말에 돌아보았다.

—왜 다 벗고 있냐?

내심 놀랐지만 「무표정(포커페이스)」 스킬의 도움으로 억눌렀다.

얘네들 나체족? 나체족인가?!

“너희들, 침대에 있는 이불이 얇으니까 다 벗으면 감기 걸린다.”

되도록 평범한 태도로, 두 사람에게 옷을 입도록 권했다.

어린 아리사의 알몸은 아무렇지도 않지만, TV 너머에서나 볼 수 있는 루루의 순수한 몸에 숨을 삼킬뻔했다. 그런 자신에게 약간 자기혐오를 느꼈다.

루루와 연애관계가 되고 싶은 마음은 딱히 없었지만, 여기서 동요를 보였다가 성적취향이 그쪽이라고 오해 받는 건 사양하고 싶다.

내가 생각했던 것보다 루루의 가슴이 제법 컸기 때문에, 그곳에 붙들리려는 시선을 의지의 힘으로 돌렸다.

성희롱을 저지르기 전에 어서 빨리 세류 시의 환락가에 들러야지.

지금 나의 겉모습은 15세 정도로 보이지만, 다행히 이 나라에서는 성인연령이라고 하니까 환락가에 가도 괜찮을 것이다.

다 벗고 있는 두 사람에게 새삼 옷을 입으라고 재촉했다.

“잠옷은 아까 준 자락이 긴 셔츠를 입어라.”

“앗, 저기, 봉사는…….”

침대 위에서 바쁘게 이불을 뒤집고 있던 아리사가 멍하니 말을 잇지 못했다.

이 세계에서는 노예가 밤에 봉사하는 게 보통인가?

"아니, 필요 없어. 내일은 아침부터 생활에 필요한 물건을 사러 갈 거니까 오늘은 그만 자라."

"—필요 없어?!"

실망스런 표정을 짓는 아리사보다도, 내 말을 듣고서 커다란 눈물을 뚝뚝 흘리기 시작한 루루를 먼저 보살폈다.

루루의 몸을 이불로 감싸서 감추고 손수건을 건네주었다.

만난 지 얼마 안 된 아저씨 — 겉보기에는 비슷한 나이지만 — 에게 몸을 허락하는 것은 노예신분이라도 괴로운 일일 테니까. 안심한 나머지 울어 버리는 것도 당연했다.

두 사람이 묘령의 미녀였다면 이성이 견디지 못했겠지만, 어린 소녀를 상대로 성희롱을 저지를 생각은 없으니 「앞으로도 밤의 봉사는 필요 없다」고 말해두었다.

루루는 남성이 거북한 것 같으니까 루루의 눈물을 닦아주며 위로하는 역할을 아리사와 교대했다.

이윽고 울다 지쳐 잠든 루루와 거기에 이끌리듯 잠들어버린 아리사 위에, 얇은 이불과 아인 소녀들에게 건넨 것과 같은 모피를 덮어 주었다. 이러면 아침까지 따뜻하겠지.

눈을 감은 아리사의 볼이 불만스러운 것처럼 부풀어 있는데 기분 탓이겠지…….

그건 제쳐두고, 나도 피곤하다. 얼른 자려고 남은 침대에 누웠다. 눈을 감아도 표시되는 메뉴를 조작하여 모두 OFF로 바꾼 다음 잠들었다.

◆

그리고 이야기는 처음부분으로 이어지는 것이다.

—이상하네. 아리사와 함께 누운 기억은 없는데.

아리사의 머리카락을 쓰다듬으며, 그 매끄러운 감촉을 즐겼다.

간지러운 듯 미소 짓는 아리사가 사랑스러워서 견딜 수가 없었다.

—분명히 얼굴은 단정하지만, 내가 언제부터 유녀취(로리콤)향이 됐지?

아리사는 작게 키득거리면서, 내 가슴을 손가락으로 살며시 매만졌다.

하얀 손가락이 요염하다.

—요염해?

나는 이중인격이라도 된 듯, 아리사의 애무를 받아들이는 자신과 그것을 의문의 눈으로 분석하는 자신으로 갈라져 있었다.

주도권이 전자에게 있어서 후자는 금세 사고의 변방으로 쫓

겨났지만, 후자는 끈질기게 내가 의문을 품도록 세력을 확장했다.

아리사가 귓가, 쇄골, 가슴팍 순서로 키스를 하고 있을 때에 이르러서야 일진일퇴하는 의식의 다툼이 끝났다.

나는 아리사의 애무에 호응하며 그녀의 뒷덜미부터 목덜미까지 쓰다듬었을 때 「갖고 싶다」고 생각해 버렸다.

어린 소녀를 상대로 이 생각은 이상하다. 아무리 그래도 뭔가 아니다.

흐릿하던 사고가 조금 선명해졌다. 나는 생각으로 메뉴를 열어서 로그 표시 설정을 ON으로 바꾸었다.

―로그에서 찾아냈다!

나는 천천히 몸을 일으키고, 이쪽을 올려다보는 아리사의 겨드랑이 사이에 손을 넣어 들어 올린 뒤, 목덜미에 얼굴이 오도록 끌어안았다.

조금 당황하면서도 내 머리를 사랑스럽게 끌어안는 아리사.

나는 그 귓가에 상냥하게, 그러나 확실하게 『명령』했다.

"아리사, 마법과 스킬의 사용을 금지한다. 이건 명령이야!"

아리사의 손에서 힘이 빠지고, 경악에 일그러진 표정으로 이쪽을 보았다.

그 공백을 찔러서 명령을 거듭했다.

"이어서 명령한다! 이미 효과를 발휘하고 있는 마법과 스킬의 효과를 지금 당장 해제해!"

명령이 신속하게 받아들여졌는지, 로그에 마법 효과가 해제되었다고 표시되었다. AR표시의 정보도 변했다.

만약을 위해서 로그에 나와 있는 「정신 내성」 스킬을 최대까지 습득했다. 「밝은 눈」이나 「정신마법」 스킬도 얻었지만 지금은 됐어.

"어째서……."

"그건 내가 할 말인데? 정신마법으로 날 조종한 목적이 뭐지?"

그렇다. 그녀는 여관 입구와 방금 전까지 두 번, 마법을 사용했다.

여관 입구에서는 괜찮았다. 사용한 마법 두 가지가 「평정 공간(컴 필드)」와 「권태 공간(웨어리니스 필드)」— 아마도 아인 소녀들에 대한 악의를 중화하기 위해서 사용했으니까.

하지만 방금 나한테 건 것은 「매료(참 퍼슨)」, 「유혹 공간(템테이션 필드)」, 「발정 공간(히트 하트 필드)」의 세 가지였다.

명백하게 나를 유혹하여 자기 뜻대로 조종하려는 강한 의도가 느껴졌다.

아리사가 일본어를 이해한 것에 놀라서 잊고 있었지만, AR표시된 그녀의 스킬은 「불명」. 그렇다. 「없음」이 아니라 「불명」이었다.

"……정신마법이라고 말씀하셔도."

"얼버무리거나 시치미 떼는 것을 금지한다. 명령이야, 목적을 말해."

나는 도망칠 길을 막고서 심문했다.

〉「심문」 스킬을 얻었다.

좋아, 마침 잘 됐다. 포인트를 분배해서 유효화(액티베이트)했다. 일단 스킬 레벨 5 정도로 해야지.

"다시 묻는다. 거짓말하지 말고 목적을 말해."

"……주인님한테 봉사하고 싶었어."

그녀는 체념했는지, 어쩐지 불만스레 말했다.

방금 전까지 느껴지던 얌전함이 사라졌다.

"의미를 모르겠다. 좀 더 알기 쉽게 말해."

"아이참! 그러니까 말했잖아. 처음에 만났을 때 첫눈에 반했어!"

—뭐어라?! 첫눈에 반해?

예상 밖의 말을 듣고 넋이 나가서 추궁하는 걸 멈추고 말았다.

"가늘고 부드러운 흑발! 무방비한 표정! 동양적인 동안! 가녀린 체구! 털 없이 매끄러운 팔다리! 이런 사람이 서방님이 되었으면 좋겠다고! 그렇게 꿈꾸던 사람이 주인님이 되어 주었는데 봉사가 필요 없다고 하잖아! 그런 거 용서 못해! 그러니까 마법을 썼어! 나한테 푹 빠지게 만들려고!"

그 틈을 찔러서 그녀가 기관총처럼 말을 쏟아냈다— 뭔가 다 내려놓은 분위기다.

"그래서 반하게 만든 다음에 세뇌라도 하려고 한 거냐?"

"아니야! 전혀 아냐! 나는 노예가 될 때 맹세했는걸. 『낮이나 밤이나 쉬지 않고 봉사하며, 정력적으로 주인님을 섬기겠습니다』라고! 그러니까 주인님을 유혹해서 기분 좋게 만드는 것도 노예의 책무야!"

그게 뭔 논리여?

기가 막히게도 거짓말이 아닌 것 같다.

애당초 노예는 주인의 『명령』에 거스를 수 없다고 했다.

"겉치레는 알았고, 본심은?"

"주인님이 보쌈해주기를 기다리고 있었는데 정말로 잠들어 버렸잖아……. 어쩔 수 없이 침대로 파고들어서 자는 얼굴을 보고 있다 보니까 불끈불끈해져 버렸어."

에헷 이라는 의성어가 나올 법한 표정이었다. 약간 울컥해서 볼을 잡아 당겼다. 이 정도 체벌은 상관없겠지.

"아파아, 아흐아이까. 아흔 거는 척 경헝 때 해저어~."

살집은 얼마 없는데 잘도 늘어난다.

어쩐지 재미가 붙었지만, 아리사가 눈물 짓고 있길래 일단 멈췄다.

"그래서, 욕정에 휩쓸려서 덮친 거냐?"

"그래."

순순히 수긍했다.

“정말이지, 대체 넌 누구야…….”

AR표시에 이렇게 나왔다.

이름: 아리사

연령: 11세.

레벨: 10

호칭: 「사토의 노예」

「망국의 마녀」

「미치광이 왕녀」

스킬: 「정신마법」

기프트: 「자기 확인(셀프 스테이터스)」

「능력 감정(스테이터스 체크)」

「기능 은폐(하이드 스킬)」

「보물 창고(아이템 박스)」

특수능력(어빌리티):

「불요불굴(네버 기브업)」

「전력전개(오버 부스트)」

—정말이지 본 적도 없는 스킬투성이다.

아리사는 내 물음에 장난스레 대답했다.

“나는 타치바나 아리사, 당신이랑 마찬가지로 일본인이야.”

아리사

"사토입니다. 회사 사무실이 서브 컬처의 성지에 있는 탓인지 가장 가까운 식당이 메이드카페였어요. 매일 다닌 덕분에 「주인님」이라고 불리는 것에도 저항감이 없습니다."

"정확하게 말하면 타치바나 아리사라는 일본인의 기억을 잃지 않고, 쿠보크 왕국에서 전생한 일본인이야. 당신도 전생? 아니, 그 흑발을 보니까 용사로 소환된 걸까? 사토(佐藤) 씨?"

AR표시된 그녀의 정보에는 본래 일본인이었다든가 타치바나 아리사라는 일본 이름은 표시되지 않았다.

내 스테이터스에도 일본인이라거나 스즈키 이치로라고 쓰이지 않은 것과 마찬가진가?

"왜 입을 다물고 있어? 내가 만난 일본인은 당신이 두 명째야."

그 말에 내 시선이 다시 한 번 침대에서 잠든 루루에게 향했다.

"루루는 아니야. 만난 적은 없지만, 루루의 증조부가 일본인이었대. 격세유전이란 것도 잔혹하네. 일본에서 태어났으면 아이돌도 문제없을 텐데."

"무슨 소리지? 루루는 이상하게 자기를 비하하던데. 저 정도면 시가 왕국에서도 인기가 넘치는 거 아냐?"

"역시 사토 씨한테는 그렇게 보이는구나. 니들렌도 말했었잖아? 이쪽 사람들한테 루루는 미인이 아니야."

"네가 정신마법으로—."

"아니야."

루루의 정조를 위해서 정신마법으로 못생겼다고 생각하게 만들었냐고 물어보려고 했지만, 말이 끝나기도 전에 부정했다.

"이쪽의 미적 감각으로 보면, 평평하고 기복이 빈약한 얼굴에 얇은 입술, 하얗지 않은 피부, 작은 엉덩이. 선호되지 않는 포인트가 절묘하게 모여버린 거야. 덕분에 노예로서 사려는 사람이 없어서 다행이었지만."

어라? 혹시 일본인 얼굴이 혐오의 대상이라면 나도 못생겼다고 생각하는 거 아닌가?

그 생각이 얼굴에 드러났는지, 아리사가 보충설명을 했다.

"일반적으로 잘생긴 거랑은 거리가 멀지만, 사토 씨는 평범하게 외국인 얼굴 취급일 거야. 루루는 기적적으로 조금씩 톱니가 어긋났다고 해야 할까? 평범하게 못생긴 것보다도 혐오의 대상으로 보이나 봐."

시대와 장소에 따라서 미인의 타입이 변한다고들 하지만 불운한— 아니, 입장을 생각하면 행운이었을까?

미묘하게 납득하기 어려웠지만, 루루는 현지인이 보기에 미인이 아니라고 인식하면 되겠지.

루루의 이야기는 그걸로 끝이라는 듯, 아리사가 화제를 바꾸었다.

"그래서 사토(佐藤) 씨는 전생자랑 전이자 어느 쪽이야?'

"그 사토 씨는 관둬라."

"네~에, 주인님."

이쪽 세계 사람들이 부르는 건 그렇다 치고, 일본인이 그렇게 부르면 스즈키라는 본명을 잊을 것 같다. 별로 차이도 없지만.

"이야기를 계속해봐. 주인님은 어느 쪽?"

"그건 어떻게 구분하는데?'

나는 아리사의 물음에 질문으로 답했다. 「전생자」와 「전이자」 중에서 어느 쪽인지 물어봐도, 둘 다 낯선 단어라서 어떤 차이가 있는지 감이 안 잡혔다.

"전생자는 본래 세계에서 사고나 수명이 다해서 죽은 다음에 이쪽 세계에서 다시 태어난 사람. 전이자는 소환마법으로 억지로 이 세계로 납치된 사람. 용사는 전이자야."

납치라니…….

편견이 듬뿍 담겨 있는 말인데, 나는 어느 쪽에 해당되는 거지?

"전생자는 반드시 갓난아기부터 시작하나?"

"이야기 속에서는 성인의 모습으로 전생하는 것도 있지만,

이 세계에서는 아기밖에 없어."

딱 잘라서 단정하네. 어째서인지 확인해봤더니—.

"전생할 때 신이 그러더라."

이렇게 대답했다.

신을 만난 거냐?

일본에서 그런 말을 하는 놈이 있으면, 그 자리에서 멀어진 뒤에 모르는 척하든가 제정신을 의심했을 거다.

"전이자는 본래 모습으로 소환되는 건가? 복장이나 소지품이나 외모 같은 거."

"소환된 사람은 그때 입고 있던 옷 그대로라고 해. 물론 외모도 그대로."

복장은 그대로였지만, 내가 젊어진 이유는 뭐지?

"그건 전해 들은 내용이야?"

"사가 제국의 용사한테서 직접 들었으니까 틀림없을 거야. 이 세계에서 용사를 소환할 수 있는 나라는 사가 제국밖에 없으니까.

그럼 사가 제국에 가면 돌아갈 방법도 알 수 있나?

시가 왕국의 관광이 끝나면 다음 목적지는 사가 제국으로 할까?

아까 아리사가 말한 두 명째 일본인은 이 용사를 말하는 거겠지.

하지만, 그보다도 아리사에게 뭐라고 한다—? 내 사정을 솔직하게 말할까? 비밀로 할까?

정신마법으로 마음을 조종하거나 덮치는 녀석이지만, 여러 가지 의미로 단서가 되는 건 틀림없다.

"그렇군. 하지만 나는 둘 다 아냐. 직장에서 잠깐 잠들었다가 깨니까 황야에 서 있었어."

"신은 안 만났어?"

"안 만났어."

아리사는 팔짱을 끼고 신음했다. 이제 그만 옷을 입혀야겠네.

"그러면, 이 세계로 왔을 때 소환진 안에서 나왔어?"

"아니, 황야에 혼자 있었어."

"그럼 처음부터 레벨이 높았다거나? 마력이 무한히 있었다든가? 스킬이 잔뜩 있었다든가?"

"처음에는 레벨 1이었고, 마력도 10이었어. 스킬도 없었지."

……아니, 유성우 같은 1회용 아이콘은 있었지.

"뭐야 그거, 완전 공략이 불가능하잖아?"

아차, 내가 동정을 받거나 심문을 받으면 안되지.

"나보다는 너야. 가지고 있는 스킬을 순서대로 전부 말해라. 기프트나 특수능력 같은 것도. 일단 말해두는데, 『명령』이다."

"명령 안 해도 대답할 거야."

"일단 정신마법, 스킬 레벨 5야. 제법 높지? 태어난 후에 입수한 스킬 포인트를 전부 여기에 쏟아 부었어."

—전부?

아리사의 레벨은 11이다. 나랑 같다면 110포인트의 스킬 포인트가 있을 텐데.

정신마법 스킬만 올릴 거면 10포인트면 최대로 올릴 수 있지 않나?

"아리사, 질문이다."

"네, 뭐든지 물어봐. 바스트 사이즈는—."

괜한 정보를 말하려는 아리사의 입에 베개를 던져서 막고 질문을 이었다.

"레벨이 오를 때마다 입수하는 스킬 포인트는 어느 정도지? 그리고 정신마법의 스킬 레벨을 올리는데 필요한 포인트는?"

"아이참 난폭하기는. 스킬 포인트는 말이지, 레벨이 오를 때마다 2d6 정도. 아, 2d6은 육면체 주사위를 두 번 던지는 거야. 2부터 12까지 포인트에 평균 7이야. 정신마법 스킬을 올리는 포인트는 스킬 레벨마다 달라. 구체적으로는—."

아리사가 말하는 정보를 교류란의 메모장에 기입했다.

—어떻게 된 거지?

나랑 아리사는 레벨 업으로 입수하는 스킬 포인트나, 스킬 레벨을 올리는데 필요한 스킬 포인트가 너무 달랐다.

내가 특수한 건가? 무슨 법칙이 있는 건가?

"왜 그래?"

"아니, 잠깐만."

아리사가 내 모습을 보고 물었지만, 나는 말을 흐려서 얼버무렸다.

아리사의 이야기가 사실이라면 내가 스킬을 익히는 효율은 보통 사람의 몇 배— 혹은 몇 십 배일 가능성이 있다.

어떤 의미로 「유성우」나, 「모든 맵 탐사」 마법에 필적할 정도의 특이성이다.

이건 아리사를 정말로 신용할 수 있다고 판단한 다음에 가르쳐줘도 되겠지. 그때까지는 비밀로 해두자.

"아리사, 새로운 스킬을 배울 때는 어떻게 하지?"

"그냥 리스트에서 골라서 익히면 돼."

그건 똑같네. 아니 잠깐. 뭔가 다른 것 같은데.

"그 리스트에 새로운 스킬이 늘어나는 계기는 뭐지?"

"스킬 포인트가 늘어났을 때지. 필요한 조건 — 스킬 포인트나 하위 스킬 같은 거 — 을 만족하면 리스트에 나타나. 필요한 포인트의 반이 모이면 리스트가 늘어나니까, 포인트를 모을지 써버릴지 고를 수 있어서 편리해."

흠, 그런 부분도 다르구나.

내 경우는 행동하면 그 행동에 따른 스킬을 얻는다. 너무 쉬울 정도로 간단히 입수한다는 점을 빼면, 아인 소녀들의 스킬 취득도 나랑 비슷했다.

나에 대한 것은 숨기고, 아인 소녀들의 스킬 취득 조건과 아리사가 이야기하는 조건이 다르다고 했더니, 아리사는 전생자나 전이자가 특수한 거라고 대답했다.

이야기가 좀 샛길로 빠졌지만, 아리사의 스킬 설명을 이어서 들었다.

"「자기 확인」은 문자 그대로 자기 스테이터스를 확인하는 스킬이야. 야마토 석으로 보는 것보다 자세히 나와. 가장 중요한 건 레벨이 올랐을 때 근력(STR)이나 지력(INT) 같은 능력치나 스킬 포인트 분배를 자기가 정할 수 있는 거지."

아까 말했던 스킬 리스트에서 임의의 스킬을 고를 수 있는 것은 이 「자기 확인」 스킬의 효과라고 한다.

그건 그렇고 능력치도 임의로 분배할 수 있는 건가? 내 메뉴에는 없는 기능이네.

아무래도 내 메뉴는 이 스킬의 아종 같은 느낌이다.

"『기능 은폐』는 자기가 가진 스킬을 감추는 스킬이야. 한 번 쓰면 해제할 때까지 감정(아날라이즈)이나 야마토 석으로 조사해도 『스킬 없음』으로 보여."

내 메뉴에서는 「스킬 불명」이었는데 감정하고는 다른 계통의 능력이라 그런가?

"『능력 감정』은 다른 사람의 스테이터스를 볼 수 있는 스킬이야. 사실은 『감정』이 더 좋은데 전생 특전 포인트가 부족해서 못 배웠어."

시험 삼아서 내 스테이터스를 읽어보도록 했는데, 야마토 석이랑 마찬가지로 교류란에 설정한 내용이었다.

아리사의 말에 따르면 「감정」 스킬은 「능력 감정」 등의 「감정」계 스킬을 포괄하는 스킬로, 스테이터스를 확인할 경우에는 「능력 감정」과 같은 성능밖에 없다고 했다.

참고로 아리사의 「기능 은폐」는 신이 내려준 거라서 어떤 「감정」계 스킬로도 간파하지 못한다고 한다.

하긴 내 AR표시로도 「불명」이었지.

평범하게 「기능 은폐」를 익히면, 스킬 레벨이 하나 위인 「능력 감정」에 간파된다고 했다.

은폐 성능은 메뉴의 교류란 설정이 아리사의 「기능 은폐」보다도 자유도가 높은 만큼, 상위호환이었다.

"보물 창고는 이름 그대로야. 게임 같은 데서 흔한 아이템 수납 창고지. 용사들이 표준으로 가지고 있는 무한수납(인벤토리)이랑 달라서 넣을 수 있는 양이 한계가 있지만 거추장스럽지도 않고 무겁지도 않으니까 편리해~."

수납 양을 물었더니, 아이템을 100종류, 같은 종류의 아이템이라면 100개까지 중복해서 가질 수 있다고 했다. 실로 게임 같은 느낌이군.

한편, 물 같은 형태가 없는 물건은 약 1리터를 1개로 취급한다고 한다.

잔꾀를 부려서, 잡다한 소품을 커다란 주머니에 넣어서 보관하면 물처럼 부피로 개수 취급이 가능하다고 아리사가 자랑스레 말했다.

내 스토리지는 굳이 말하자면 무한수납에 가까운 기능이군.
이름만 다른 건지 성능 그 자체가 다른 건지는 모르겠지만, 다소 달라도 편리하니까 별로 상관 없겠지.
“너무 말해서, 목이 좀 마르네.”
아리사가 목을 누르면서 기침을 하길래 물을 가져다주려고 일어섰지만, 아리사가 손을 들어 막았다.
「보물 창고」를 실제로 보여준다고 해서 사용허가를 내렸다.
“아이템 박스 오픈.”
아리사가 속삭이듯 영창하면서 과장된 동작으로 손을 옆으로 휘두르자, 그녀 앞에 평평하고 검은 구멍이 나타났다.
저게 아이템 박스인가?
내 스토리지는 넣고 빼고 할 때 이펙트나 저런 검은 평면 구멍은 발생하지 않는다.
아리사가 그 검은 구멍에 손을 넣더니, 안에서 주전자를 꺼냈다. 그리고 그대로 주전자에 직접 입을 대고서 목을 축였다. 옆모습을 보니 우쭐한 표정이었다.
입가에서 떨어진 물이 옷을 벗은 가슴을 따라 흘렀다. 물을 마시는 동작이 나이에 걸맞지 않게 야하다.
이 녀석 알맹이는 대체 몇 살이지?
“컵이라도 써라.”
버릇없어 보이길래 그랬더니, 꺼내고 넣을 때도 마력이 필요하니까 최소한으로 한다고 대답했다.

꺼내고 넣는데 마력이 필요한가? 그것도 스토리지랑 다르네.

아리사가 다 마신 주전자를 넣으려고 하길래, 그 작업을 내가 해보기로 했다. 어렴풋이 물건들이 보이는 검은 상자에 물건을 놓는 느낌이었다.

〉「보물 창고」 스킬을 얻었다.

스토리지의 하위호환 스킬은 필요 없는데요…….

그보다도 남아 있는 「불요불굴」과 「전력전개」 중에서 어느 쪽이 300이라는 레벨 차이를 극복하여 정신마법을 걸었는지 알고 싶었다.

"후후후, 어때? 잘 샀지? 스킬을 이렇게 많이 가진 노예는 거의 없거든!"

"그밖에는 없나?"

"읔……."

아리사는 약간 머뭇거린 다음에 「참, 욕심도 많다니까」라고 말하면서 외국인처럼 과장되게 양손을 드는 포즈를 취했다.

약간 울컥해서 손날로 머리를 때렸다.

물론 다치지 않도록 아주 많이 힘을 뺐다.

"폭력 반대! 그거 말고는, 고유(유니크) 스킬이 두 개 있어!"

굉장하지? 포즈를 취하길래 머리를 난폭하게 쓰다듬었다.

"머리가 흐트러져어."

그러면서도 조금 기뻐 보였다.

그런데 특수능력이 아니라 고유 스킬인가?

내 의문을 가로막듯이 아리사의 설명이 시작되었다.

“이 능력은 루루도 몰라. 첫 번째는 말이지, 전력전개라고 해. 모든 마력과 스태미나를 소비해서 일격의 효과를 몇 배로 끌어올리는 거야! 근사하지? 그야말로 히로인을 위한 능력이야~.”

오히려 1회용 대포 같은데.

“또 하나는 불요불굴. 상대가 어떤 강적이라도 절대 포기하지 않는 힘이야! 구체적으로는 아무리 방어력이 높거나 레벨 차이가 있어도 최소한 10% 확률로 마법이나 공격이 먹히는 거야! 굉장하지?”

분명히 굉장하다. 내 마법저항을 돌파하는데 이용한 건 이 스킬이구나. 로그에 「~의 마법에 저항했습니다」라는 게 잔뜩 있으니까 틀림없다.

“다만 세 번밖에 못 써. 쓰더라도 한 달에 한 번씩 회복되지만 말야. 주인님한테는 마법이 좀처럼 통하지 않길래 오기가 생겨서 세 번 다 써버렸어.”

성가신 스킬이다. 적이 아니라서 다행이라고 해야 되나?

이건 나중에 들은 이야기인데, 이 스킬의 효과가 지속되는 동안이라도 완전내성을 가진 상대에게는 의미가 없다고 한다. 예를 들어서 화염공격이 무효인 화룡에게 「화염 방사(플레임 스로워)」 따위를 써봤다 소용없다고 했다.

“그런데 주인님의 고유 스킬은 몇 개야?”

“물어보는 게 『스킬의 종류』가 아니라 개수네?”

“그래. 그리고 고유 스킬은 우리가 가진 비장의 카드니까 아무한테도 말하면 안 되는 거야.”

분명히 캐내려고 할 거라 생각했는데 말하지 말라는 충고를 들어버렸다.

그러나 개수고 뭐고 나는 「고유 스킬」이란 것이 없다.

이 메뉴 표시나, 처음에 유성우 같은 것이 「고유 스킬」일지도 모르지만, 어떻게 확인하는 거지?

메뉴의 각 탭을 조사해보니, 설정 탭에 눈에 띄지 않는 글자로 「특수능력」이라고 써 있었다.

선택해 보니 네 가지 스킬이 나왔다.

“네 개야.”

“우와~, 굉장하네. 신이 그러는데 고유 스킬이 많을수록 영혼의 그릇이 크다고 했어.”

그릇이라. 나 같은 소시민의 그릇이 클 것 같지 않은데.

참고로 네 가지 특수능력은 각자 「메뉴」, 「유닛 작성」, 「유닛 배치」, 「불멸」이었다.

이 메뉴 표시는 특수능력이었구나. 아리사의 고유 스킬과 같은 종류인 것 같고, 복잡해지니까 앞으로는 고유 스킬로 통

일해서 생각해야지.

고유 스킬에 스토리지나 레이더, 맵이 없다는 것은, 이 기능들도 메뉴의 일부란 것이다.

이쪽으로 왔을 때는 별 볼일 없는 능력이라고 생각했지만 미궁에서 메뉴의 유용함을 확인한 다음이라 그런 감상도 안 나왔다.

유닛으로 시작되는 둘은 시뮬레이션 게임 같은 이름인데, 활성화가 되어있지 않아서 선택할 수 없었다. 이건 불멸도 마찬가지인데, 게임처럼 생각해 보면 무슨 조건을 만족시키면 해방되는 게 아닐까 싶었다.

불멸이라는 건 게임처럼 죽으면 교회에서 되살아나는 능력 같았다. 그렇다면 스킬 해방 조건이 죽는 거 아닐까? 죽어 볼 생각은 전혀 없으니까 조건이 그렇다면 스킬이 해방 되는 건 먼 미래가 되겠지.

생각해봐야 답이 안 나오는 일에 사고 능력을 소비하는 것도 아까우니까 일단 제쳐두고.

"몇 가지 확인하고 싶다."

"그러세요~."

"정신마법을 영창 없이 사용한 건 어떻게 한 거지?"

여관 앞에서 분명 정신마법을 썼는데, 영창하는 기색이 없었다.

"그거~는, 자기 확인의 숨겨진 기능인데, 한 번 익힌 마법이라면 주문 마지막의 발동 어구(코맨드 워드)를 머릿속으로 외기만 해도 쓸 수 있어.

기대하고서 물어봤는데, 익히려면 한 번 영창할 필요가 있다고 한다.

역시 잔꾀는 마법의 두루마리(스크롤)를 쓰는 방법밖에 없나?

자금이라면 잔뜩 있으니까 제나 씨한테 마법 상점을 소개해 달라고 해서 두루마리를 사모아야지.

"혹시 마법 못 써?"

"주문 영창에서 발목을 잡혔거든……."

응, 거짓말은 아니다.

세 가지 쓸 수 있지만 그건 이레귤러다.

"그렇겠네. 나도 처음에 다른 사람 영창을 들었을 때는 포기할 뻔했어. 결국 1년쯤 걸렸지."

"그렇네. 도전하기 시작한지 아직 이틀, 실질적으로 두 시간 정도니까."

"그게 뭐야? 너무 짧잖아. 그렇게 배울 수 있으면 마법사가 엄청 많을 거야."

지당하신 말씀이라 뭐라 대답할 말이 없네요.

내가 입을 다문 틈에, 아리사가 춥다면서 안겨 들었다. 그걸 가볍게 떼어내고서 침대 옆에 떨어져 있는 옷이랑 이불을 떠밀었다.

“다음으로, 아이템 박스 내용물을 말해라. 자는 동안 나이프나 독에 죽기는 싫으니까.”

지금까지 하는 걸 보면 나한테 적의는 없는 것 같지만, 나한테 첫눈에 반했다든가 있을 수 없는 말들을 하고 있으니 얼마동안 방심하지 않는 게 좋겠다.

“그러니까~, 『정신마법』 계열의 마법서가 다섯 권.”

아리사가 가죽 장정의 묵직한 책을 침대 위에 쌓아 올렸다. 세월이 느껴지는 낡은 책 냄새가 미세하게 났다.

시세 스킬이 알려준 마법서의 가격은 아리사와 루루의 몸값보다 훨씬 높았다.

“이 책을 팔면 자신을 해방 시킬 수 있지 않았나?”

“노예의 물건이잖아. 뺏기고 끝이야. 그리고 이런 보라색 머리칼인 내가 꺼림칙한 정신마법의 마법서 같은 걸 꺼내면 무슨 짓을 당할지…….”

분명히 정신마법이라고 하면 세뇌나 선동 같은 위험한 일도 가능할 것 같았다.

“박해 받을 법한 마법이 아니라 좀 더 다른 걸 익히는 편이 좋지 않았을까?”

“이것밖에 못 구했어. 마법을 쓰고 싶어서 독학으로 익혔지.”

그래 뭐, 마법을 쓰고 싶다는 마음은 이해한다.

그것보다도—.

"보라색 머리칼은 불길해?"

"보라색 머리칼이나 눈은 불길하다고 해. 이유까지 알고 있는 사람은 적지만, 무슨 나쁜 일이 일어나면 모든 책임을 떠넘기는 느낌이야."

그러고 보니 노예상인 니들렌도 그런 말을 했었다.

"흐~응, 할머니들이 멋으로 염색하는 거랑 비슷한데 말이지."

"하, 하필이면 그런 거랑 비교하다니……."

아리사가 힘이 빠져서 침대에 양손을 짚자, 예쁜 색의 머리칼이 흩어졌다. 이렇게 예쁜데 이유도 모른 채 싫어하다니 아깝구만.

아차, 이야기가 샜다. 화제를 되돌려야지.

"아이템 박스 내용물은 그걸로 끝인가?"

"다음은 아까 그 주전자랑 옷이 몇 벌 있는데, 다 꺼내?"

"그래, 꺼내봐. 아까 그 주전자는 됐고."

아리사가 꺼낸 옷을 보고 머리가 지끈거렸다. 유카타[#2]에 세일러복, 만들다 만 메이드복……. 듣자니 직접 만들었다고 한다. 아리사에게 재봉 스킬은 없었지만, 전생하기 전에는 특기였다고 했다.

마법서도 타이틀만 메모한 다음에 모두 아이템 박스로 되돌렸다.

#2 유카타 기모노의 일종. 생활복에 가까운 간소한 형식이다.

"안 뺏어?"

"마법서는 다음에 나도 읽을 거지만 뺏을 생각은 없어."

신기하다는 듯 고개를 갸웃거리는 아리사에게 딱 잘라 말했다.

어린 소녀 사이즈의 세일러복이나 메이드복 같은 걸 가지고 있으면 변태 취급을 당할 거라고…….

"그렇지, 아이템 박스에 이것도 넣어둬."

그렇게 말하며 이불로 가리고 스토리지에서 꺼낸 주머니를 아리사에게 건넸다.

"무거워라. 안에 봐도 돼?"

"그래, 상관없어. 전부 합치면 금화 10닢 분량쯤 되니까, 긴급사태가 발생하면 망설이지 말고 써."

시가 왕국의 화폐만 있는 게 아니라 사가 제국의 화폐도 섞어 두었다.

도시 안에서 데이트밖에 안 했는데 폭동이나 미궁의 탄생에 말려드는 파란만장한 세계다. 만일의 사태에 대비해서 다소 가지고 있는 게 좋겠지.

"노예한테 금화라니…… 주인님은 굉장한 부자야?"

"어쩌다 운 좋게 얻은 것뿐이야."

아리사가 주머니 속에서 빛나는 금화에 눈길을 빼앗기고 있었다.

소액이라고 생각했는데, 나중에 들어 보니 시민의 평균 월

수입이 금화 한 닢도 안 된다고 한다. 물가가 다르니까 완전히 같지는 않겠지만, 내 감각으로는 금화 한 닢이 5만에서 10만 엔 정도 되는데……. 용케 생활이 가능하네.

"알고 있겠지만, 긴급할 때 말고는 쓰면 안 된다?"

"물론이지!"

아리사가 애매하게 대답하여 얼버무린 건 눈치 챘지만, 달리 금전을 안전하게 보관할 수 있는 인물이 없으니까 무시했다.

재봉 스킬도 있으니 다른 애들한테는 금화를 꿰매어 넣은 부적(아뮬렛)이라도 만들어서 들려줘야지.

"아리사, 마지막으로 하나만 묻자."

"오케~이, 컴오~온."

아리사가 야구 선수 같은 어조로 가볍게 대답했다.

"노예가 된 이유를 물어도 될까? 이건 명령이 아냐. 대답하기 싫으면 대답하지 않아도 상관없어."

아리사는 조금 망설였지만 이내 말하기 시작했다.

"전생하기 전의 지식으로 고향을 풍요롭게 만들려다가 실패했어."

「이래 봬도 왕녀님이었어」, 아리사가 익살스레 말했다.

"처음에는 잘 됐는데, 부자연스러울 정도로 실패하기 시작해서 나라가 흔들리고 내란이 일어나더니, 마지막에는 이웃나라한테 점령당했어."

"뭘 했는데?"

"평범하게 농지 개혁이야. 부엽토나 비료나 돌려짓기 농법 같은 내정 치트의 기본."

내정 치트라니 들어본 적도 없는 단어군. 내정 개혁이라고 머릿속에서 변환을 해둬야지.

"실패해서 나라가 흐트러질 정도야?"

"그러니까 『부자연스러울 정도로』라고 한 거야. 부엽토를 모은 산이 말라버리거나. 발효시키는 비료 안에서 벌레계열 마물이 대량 발생하거나, 클로버나 순무가 땅을 회복시키지 않고 토지가 피폐해지거나."

그야말로 판타지적인 현상이지만, 『부자연스러울 정도로』라고 덧붙였다는 얘기는…….

"누가 방해한 건가?"

"그래. 하지만 그건 훨씬 나중에 알았어. 그때는 이세계와 지구의 차이 탓이라고 생각해서 풀이 죽었지. 『망국의 마녀』라든가 『미치광이 왕녀』라고 불리기도 했어."

그 칭호는 그래서 생긴 거였나.

미안, 아리사. 정신마법으로 국왕을 조종해서 미소녀 하렘을 만들려고 한 줄 알았어.

"그래도 나라를 점령하기 위해서라면, 점령한 나라에서 이익을 못 얻으면 의미가 없잖아? 국토를 황폐하게 만들면 주객전도 아냐?"

"그들에게는 가난한 나라의 국토 따위 아무래도 좋았어. 성지하에 있던『말라 죽은 미궁』을 가지고 싶었을 뿐이야."

아리사가 분통한 듯 굽힌 손가락을 깨물었다.

"나라를 점령한 다음에 그들은 국민의 불만을 해소하기 위해서 국왕과 황태자, 공주들을 공개 처형했어."

분통한 표정으로 눈물 짓고 있었다.

"그리고 나머지 왕자와 왕녀들을 모아서 이렇게 말했어—.「나라가 멸망한 것은 너희들이 우둔했기 때문이다. 너희들은 왕족의 자격이 없다」. 그들에게 명령 받은 궁정마술사가 나를 비롯한 왕자와 왕녀에게 강제(기어스)의 기프트를 사용했어.「죽을 때까지 노예로 살아라」고……. 내 탓에 나라가 멸망했다고 생각한 나는 얌전히 그 강제를 받아들이고 노예가 되었어."

스토리지에서 꺼낸 손수건으로 눈물을 닦아 주었다.

"어째서 노예로 만든 거지?"

"아까 말했던『말라 죽은 미궁』을 부활시키는 의식을 위해서였어. 노예라면 거역하거나 도망칠 수도 없고, 계약과 달리 강제를 풀 수 있는 건 나라에 한 사람밖에 없었으니까……."

아리사가 손수건째로 내 손을 쥐면서 말을 이었다.

"매달, 만월 밤에 한 사람씩 미궁 안에서 수상한 의식의 산제물이 되었어……."

손을 쥐는 힘이 빠져나갔다.

"1년 뒤에 미궁이 부활했나 봐. 산 제물 의식이 끝나고 꺼림

칙한 머리칼을 가진 나랑, 아버님의 서자였던 루루만 살아남았어. 우리는 유폐된 탑에서 가까운 별궁으로 옮겼어. 그 자리에서 처분되지 않은 이유는 모르겠지만, 미궁이 또 말라 죽을 때를 대비한 대책이었을 지도 몰라."

루루가 국왕의 서자라면 핏줄은 왕족이란 거구나.

인종이 다른 것 같아서 아리사랑 루루는 의자매일 거라고 생각했는데 피가 이어진 육친이었구나.

"그리고 다음 만월의 밤에 비극이 일어났어. 어디선가 마족이 나타나서 성이랑 그 성곽도시를 파괴해 버렸어. 내가 있던 별궁에도 불이 나서, 루루랑 산으로 도망쳤지."

아리사는 외출금지 명령을 받았지만, 성이 파괴될 때 주인으로 등록되어 있던 간신이 죽은 덕분에 별궁에서 탈출할 수 있었다고 한다.

"그대로 타 죽는 수밖에 없나 싶었지만, 루루의 칭호가 『주인 없음』이 된 걸 깨달은 덕분에 간발의 차이로 도망칠 수 있었어. 나 혼자였으면 그대로 죽었을 거야."

내 손을 자기 몸에 감아 안으며 내 무릎 위에 앉는 아리사. 손이 조금 떨리고 있길래 하는 대로 놔두었다.

"그대로 산을 헤매다가 죽을뻔했는데 노예상인 니들렌한테 거두어졌어. 주인이 없는 노예는 도시에도 못 들어가니까. 변태 귀족한테 팔리지 않도록 적절한 태도를 취하는데 고생했어. 그야말로 스트레스로 위에 구멍이 뚫리는 줄 알았다니까."

내 팔에 작은 머리를 기대고 있어서 표정이 보이지 않는다.

"정신마법으로 니들렌을 조종해서 딸처럼 취급하도록 하면 되지 않았나?"

"그거라니까. 대응하는데 필사적이라서 계약으로 니들렌의 노예가 된 다음에 그 생각이 들더라고."

"나중에라도 마법으로 조종하면 됐잖아."

"그러면 계약위반으로 목이 조여서 까딱하면 죽는걸."

응? 잠깐 기다려.

아리사의 몸을 이쪽으로 돌렸다.

"아까 마법을 악용해서 나를 덮치지 않았냐? 어째서 계약위반이 안 되는데?"

올려다보는 얼굴에 쓴웃음이 떠올랐다.

"그건 노예로서 봉사한 거니까. 계약할 때 분명히 선서했잖아."

—낮이나 밤이나 쉬지 않고 봉사하며, 정력적으로 주인님을 섬기겠습니다.

"그러니까 마법을 써서 전력으로 봉사하는 거야!"

손을 쥠쥠 거리며 「그러니까 안아줘~, 내 풋풋한 육체를 탐해줘」라면서 안겨 드는 것을 손날로 격추했다.

"그런데 그 마족의 목적은 뭐였지?"

"몰라. 마족이니까 마왕을 키우기 위해서 미궁을 물색하러 온 거 아닐까?"

탁란하는 뻐꾸기냐?

"미궁은 마왕을 육성하기 위한 건가?"

"그렇게 주장하는 학자가 있을 뿐이지, 신들은 긍정도 부정도 안 했어. 다만, 지금까지 나타난 마왕은 거의 다 미궁 근처에서 출현했어."

그러면 본관 군은 이 세류 시에 마왕을 출현시키려고 미궁을 만든 건가?

그러고 보니 문전여관의 마담도 비슷한 이야기를 한 것 같은데…….

"그렇지, 나도 하나 물어봐도 돼?"

"뭔데?"

"여관에 들어오기 전에 리자 씨네가 없었으면 『미궁에서 살아 돌아올 수 없었다』고 했잖아?"

아리사의 말에 긍정했다.

"미궁도시 세리빌라에 간 적 있어?"

"아니, 없어."

아마도 아인 차별이 적은 도시라고 했었지?

도시의 길이 미궁인 건지, 도시 근교에 미궁 입구가 있는지는 모르지만 한 번 가보고 싶네.

"그러면 다른 나라 미궁?"

"아니야. 여기 세류 시에 생긴 미궁이야."

“거짓말.”

아리사가 멍하니 중얼거린 다음—.

“니들렌이 휘말린 소동이 미궁이었어?!”

갑자기 굉장한 기세로 접근했다. 얼굴이 가깝다.

이라사를 밀어내면서, 폭동이나 마족이 미궁을 만든 일 등을 간략하게 이야기했다.

내가 은 가면을 쓰고 상급마족을 토벌한 것은 생략했다.

“마족이 새로운 미궁을 만들었다는 거야?”

놀라는 아리사에게 고개를 끄덕였다.

그게 그렇게 놀랄 일인가?

“그거야, 이 대륙에 살아있는 미궁은 여섯 개밖에 없는걸. 마지막 미궁이 생긴 게 100년도 넘은 옛날이야. 마왕의 시체 위에 미궁이 태어났다고 책에 써 있었어.”

“하급마족이 만들었으니까 미궁이 흔한 건 줄 알았는데.”

“그렇게 쉬운 게 아냐. 전설급의 비보(아티팩트)라도 쓰지 않으면 미궁을 창조하는 건 무리야. 대체 무슨 목적으로…….”

“마물을 양산해서 용사랑 싸운다거나?”

아리사는 내가 대충 생각한 대답을 묵살하고 진지한 표정으로 생각에 잠겼다.

내 어깨에 양손을 올리는 건 괜찮은데, 다리를 내 허리에 감고 단단히 고정하는 건 그만둬.

“그렇다면 세리빌라 같은 오랜 미궁으로 충분해. 오랜 미궁

일수록 규모가 크니까 새로운 미궁을 일부러 만들 필요가 없을 거야."

"그러면 단순히 양동 작전이나, 장래를 위한 포석 아냐?"

용사의 눈길을 끌기 위해서라든가, 숲을 꾸미는 것처럼 말이지.

"그건 가능성 있을지도."

어째 납득하지 못하는 기색인 아리사의 머리를 쓰다듬었다.

마족이 무슨 생각을 하는지는 정보가 너무 적어서 전혀 알 수가 없었다. 적어도 백작령이나 미궁 안에 마족은 없었고, 눈알 팔 마족처럼 미믹으로 위장한 기색도 없었다.

본관 군처럼 소환되어 올지도 모르지만, 그건 걱정해봤자 어쩔 수 없다.

그 상황까지 우려하다간 스트레스로 머리가 벗겨질 거다.

"나도 세류 시의 미궁에 들어가 볼 수 있을까?"

아리사가 진지한 표정으로 나를 올려다보며 말했다. 그건 좋은데, 어째서 평평한 가슴을 나한테 들이밀어?

"무리 아닐까? 영군(領軍)의 지인한테 들은 바로는 당분간 봉쇄한다는 말을 했었어."

"그래……."

영군의 지인, 제나 씨도 확실하게 말한 건 아니지만 성에 있을 때 비슷한 뉘앙스의 말을 했다.

"미궁에 들어가고 싶은 이유가 뭔데? 마물이 있는 위험한 장소에 무슨 용건이라도 있어?"

"마물이 있으니까 들어가고 싶은 거야."

"마물에게 무슨 원한이라도 있냐?"

"그런 건 없어. 레벨 업을 하고 싶어."

레벨 업이라니……. 게임도 아니고— 아니, 현실이기 때문에 레벨을 올리고 싶은 거구나.

아인 소녀들도 레벨이 오르자 기초 스테이터스가 올라서 생존능력이 올라갔다. 이런 위험한 세계라면 레벨을 올리는 것은 틀림없이 중요하다.

하지만, 그런 것치고 시민의 레벨은 낮았단 말이지. 병사들도 레벨 5나 6 정도였고…….

"그렇게 들어가고 싶으면 지인한테 물어봐 줄게."

아리사가 너무 진지해서 그렇게 말해버렸다.

"정말?!"

"그래, 들어갈 수 있을지는 모르니까 별로 기대는 하지 말고."

"응, 고마워!"

확 밝게 웃음 짓는 아리사를 떼어내서, 이번에야말로 머리 위에 셔츠를 씌웠다.

"하지만 마물을 쓰러뜨리는 것 말고 레벨을 올리는 방법은 없나?"

"물론 있어. 하지만, 마물을 쓰러뜨리는 게 제일 효율이 좋거든.”

효율이라고 하니까 MMORPG가 떠오르는데…….

경험치 효율이 높은 몬스터만 노려서 사냥했었지.

“인간이나 짐승을 죽이는 것보다 마물을 죽이는 편이 얻을 수 있는 경험치가 몇 배 더 많다고 했어. 성의 병사나 기사들에게 훔쳐 듣고서 추측한 거니까 자세한 이유는 모르지만.”

만약 그렇다면, 경험치를 얻으려고 노예나 평민을 학살하는 귀족이나 먹기 위해서가 아니라 죽이기 위해서 가축을 기르는 녀석이 나올 것 같다.

“아리사도 레벨을 올리려고 마물을 죽였어?”

“그게 가능했으면 좀 더 레벨이 높았겠지. 책을 읽어서 올렸어. 알아? 새로운 지식을 얻으면 경험치가 쌓여. 덕분에 왕성에 틀어박힌 채 레벨이 올랐어.”

그렇군. 게임이 아니니까 전투로만 레벨이 오를 리는 없구나.

이 날은 아리사가 잠들 때까지 이 세계의 시스템에 대해서 대화를 나누었다.

착각은 사랑의 스파이스

"사토입니다. 동서고금의 러브 코미디에서는 오해나 엇갈림이 이야기를 달아오르게 만드는 것 같습니다. 현실에서는 이별 이야기로 직결되니까 사양하고 싶어요."

창 밖에서 길거리의 소음이 들렸다. 좀 늦잠을 잤나?

침대의 온기 때문에 고전하면서 어제 일을 떠올렸다.

어젯밤에는 여러 가지 지식도 입수했고, 아리사가 노예가 된 과거 사정도 알았다.

아리사가 잠들기 직전쯤에 아리사에게 「노예에서 해방시켜줄까?」 제안해봤는데, 「강제」로 묶여 있으니까 무리라고 했다.

노예에서 해방되면 「강제」의 명령에 거스른 것이 되어 온몸에서 피를 뿜으며 죽는다고 한다. 저주 같은 스킬이네.

공도나 왕도처럼 사람들이 많은 곳에 가면 「강제」를 해제하거나 덧씌우기가 가능한 사람도 있을 테니까, 노예에서 해방하는 건 그때까지 보류했다.

아리사에게 마법으로 매료됐다는 걸 알았을 때는 아침이 되면 계약 취소를 할 셈이었지만, 여러모로 동정의 여지도 많고 동향의 어린애를 이방의 땅에 의지할 곳 없이 방치할 정도로 박정하지 못했다.

이 물러터진 성격 때문에 앞으로 후회하게 될지도 모르지만 그때는 뭐 그때고…….

레벨 310의 무력과 나라가 기울 정도의 재력으로 헤쳐나가야지.

그 자만심에 넘치는 결심을 때려부수려는 듯, 문이 노크도 없이 기세 좋게 열렸다.

"사토 씨 일어났어? 애인이 찾아왔어."

마사는 아침부터 활기차구나.

"애, 애인이……."

그 뒤에서 제나 씨가 허겁지겁 마사의 입을 막으려 하고 있었다.

"안녕하세요."

상반신을 일으키면서 인사했다.

쌀쌀하다. 그러고 보니 어제 아리사가 셔츠를 벗겼었지.

"오오, 몸이 꽤 좋네."

마사는 흥미롭다는 듯 반라의 나를 바라보았다. 제나 씨는 빨개진 얼굴을 손으로 가렸지만, 손가락 틈으로 이쪽을 뚫어져라 보고 있었다.

군인이라면 남자들 몸은 익숙할 것 같은데…….

"보기 안 좋은 모양새라 죄송해요. 금세 옷을 입을 거니까요."

침대에서 내려가려고 손을 짚었다.

"아앙♪"

—미지근하다.

아래를 내려다보자 반라의 소녀가 있었다. 내가 짚은 손이 다 드러난 가슴에— 아아 어제 그대로 잠들어 버렸구나.

한 침대에 누워 있는 소녀를 본 제나 씨의 얼굴이 빨간색에서 파란색으로 변했다.

"……주인님, ……그렇게 세게 하시면…… 부서질 거예요……."

거기다 루루가 타이밍을 노린 것처럼 잠꼬대를 했다.

고개를 돌리자, 자다가 뒤척인 건지 등을 보인 채 옆으로 누워서 자고 있었다. 다만 짧은 옷이 말려 올라가서 귀여운 엉덩이가 다 보였다. —그러고 보니 속옷을 안 입었네.

더욱이 시트에 빨간 얼룩이…….

엥? 안 덮쳤는데?

"부, 부, 불결해요! 사토 씨 바보오오오~~!"

제나 씨가 울면서 방을 뛰쳐나갔다.

"실례했습니다~. 느긋하게 쉬세요~."

마사가 머리를 긁적이면서 그 말을 남기고 문을 닫았다.

불결하다는 말을 들은 것은 처음이다.

그런 식으로, 어쩐지 남일 같은 감상을 품고 말았다.

"주인님, 청결한 천 조각이 있으면 하나 줄래? 루루가 월경을 하나 봐."

나는 가방에서 천 조각을 꺼내 건넸다.

"고마워. 그리고 안 쫓아가도 돼? 얼른 안 가면 일이 꼬일 걸?"

딱히 연인도 아니고 그냥 친구인데.

물론 친구가 유녀취향이라는 의혹을 가지는 것도 싫으니까 따라가서 오해를 풀어야겠다.

반라로 뛰쳐나갈 수도 없어서 발치에 떨어진 셔츠를 입었다. 말할 것도 없지만 바지는 처음부터 입고 있었다.

레이더로 확인하자, 제나 씨는 여관을 나가서 중앙 길로 들어선 참이었다. 역시 군인이네. 발이 빨라. 이대로 가면 조금 뒤에 이 방 앞을 지나간다.

—이 기능 참 편리하긴 한데 스토커가 손에 넣으면 위험하겠네.

바보 같은 생각을 하면서도, 타이밍을 재서 창문을 통해 길거리로 뛰어내렸다.

제나 씨의 진로를 막으면서 착지. 놀라서 멈추는 제나 씨를 안아서 받아내고 댄스를 추듯이 빙글 한 바퀴 돌아서 기세를 죽였다.

〉「무도(舞蹈)」 스킬을 얻었다.

“제나 씨, 오해한 거예요.”

제나 씨는 나를 거부하듯 양손으로 내 가슴을 밀어내려고 했다. 밀어내는 힘이 약하다.—이럴 때는 놔주면 안 되지.

이대로 손을 놓으면, 믿을 수 없지만 믿고 싶다는— 그 모순적인 여심을 나쁜 방향으로 유도하게 된다.

“하지만, 저렇게 귀여운 애랑 같이 잤잖아요!”

“잠이 덜 깨서 침대를 착각한 거예요.”

어린애랑은 한 침대에서 자도 세이프잖아요?

어제도 나는 분명하게 속옷을 입고 있었다. 소리 높여 무죄를 주장한다.

—로리콤 아니거든요!

“또 한 사람의 흑발 여자애도! 으, 으윽…….”

“잠버릇이 안 좋은 언니 쪽은 달마다 하는 그거예요.”

사람들 많은 데서 떠들 내용이 아니라, 제나 씨 귓가에 가만히 속삭였다.

그제서야 제나 씨가 힘을 풀었다.

“하, 하지만 남자들이 여자 노예를 사는 건 밤의 봉사를 위해서라고, 릴리오가!”

—릴리오, 이 녀석을 확…….

지금은 세류 시 바깥을 순찰하고 있는 릴리오에게 마음 속으로 폭언을 쏟았다.

제나 씨의 호위병이며 절친이라는 릴리오는 순수(퓨어)한 친구를 지키기 위해서 조언한 거겠지만, 근거가 없는 소리도 정도껏 해야지.

"사람에 따라 달라요. 저 자매는 시종 삼아 샀습니다. 호위는 수인 애들도 할 수 있지만, 장을 보기에는 적합하질 않잖아요."

"……하지만."

머리로는 이해해도 감정이 안 따르는 건가?

이럴 때 「그런 목적이라면 섹시한 어른 여성을 샀다」고 하면 더 화낼 것 같으니까 관두자.

"오늘 의상은 요전과는 분위기가 다르네요. 프릴이 풍부해서 청초하면서도 화사해요. 제나 씨의 매력을 잘 끌어내는군요."

이럴 때는 칭찬해서 얼버무리는 게 좋다.

"그건…… 그냥 옷만 예쁜 거죠……."

제나 씨도 부끄러워하면서도 조금 기쁜 표정을 지었다.

"근사하지만, 조금 얇아서 춥지 않나요?"

"아뇨, 단련하고 있으니까 괜찮아요."

여자애가 할 말이 아닙니다, 제나 씨.

그럴 때는 남자의 팔을 끌어안고 「이러면 따뜻하잖아요?」 그러면서 농락해야죠!

"그렇지. 요 앞에 있는 가게에서 근사한 스톨을 팔더군요. 같이 보러 가실래요? 분명히 제나 씨한테 어울릴 거예요."

"정말이요? 보러 가고 싶어요!"

좋아, 화제가 바뀌었다!

세류 시에 온 첫날에 마사의 시선이 고정되었던 옷 가게였다.

그 다음에 몇십 개의 스톨과 숄을 비교하면서, 제나 씨가 고른 핑크색 스톨을 선물했다.

건넬 때 또 한 번 말다툼이 있었지만, 가게를 나올 무렵에는 완벽하게 기분이 좋아져 있었다.

……여자들 쇼핑은 오래 걸리잖아?

제나 씨를 데리고 여관 앞으로 돌아오자, 여관 입구와 조금 떨어진 장소에서 아리사가 손짓했다. 그곳은 여관 안뜰로 이어지는 마차용 출입구다.

"어서 오세요, 주인님. 오해가 풀린 것 같아 다행이야."

원인 제공자가 남일처럼 말하길래 가볍게 딱밤을 때렸다.

"아윽……."

"다녀왔다. 여기서 뭐하는 거지?"

"배가 고파서 리자 씨한테 음식 좀 나눠달라고 왔어."

"벌써 다 먹었어?"

"응, 루루는 아직 저기서 먹고 있어. 하지만 식욕이 별로 없는 모양이야……."

그렇군. 몸이 안 좋을 때 치즈나 훈제한 고기는 먹기 어렵겠지. 아리사에게 동화를 몇 닢 건네서 과일을 사오라고 했다.

나는 옷을 갈아입으러 방으로 돌아갔다.

제나 씨는 여관 1층의 주점에서 과실수를 마시며 기다리고 있었다.

방에 돌아와서 테이블 옆에 놓인 구리 세면기에 나락의 물주머니(웰백)로 물을 채워서 얼굴을 씻었다. 머리는 안 삐친 것 같아서 조금 적신 손으로 대강 빗어 두었다. 다음에 이 세계의 헤어스타일링 제품을 찾아봐야지.

“제나 씨. 기다렸죠.”

“아뇨. 마사 씨와 이야기를 나눠서 괜찮았어요.”

“훼방꾼은 사라질게.”

마사가 일하러 돌아갔다.

교대하듯 입구로 들어온 아리사에게 리자 일행을 불러오라고 했다.

루루는 낯빛이 안 좋아서 방으로 돌려보냈다. 지나가던 시종 유니에게 방에 물주전자를 가져다 달라고 부탁하며 팁 대신에 천화를 건넸다.

제나 씨와 함께 밖으로 나가자, 아리사가 리자 일행을 불러왔다.

“이 돈으로 다들 입을 옷이랑 일용품을 사와. 계산이나 가격흥정은 아리사한테 맡긴다. 리자는 소매치기나 납치범 같은 걸 주의해서 애들을 지켜라.”

은화가 10닢 정도 든 작은 주머니를 리자에게 건넸다. 아리사에게는 은화 2닢 정도 잔돈이 든 주머니를 건넸다.

돈을 한 군데 모아두면 위험하니까, 해외여행을 할 때처럼 조심했다.

아리사가 작은 소리로 주변을 경계하는 마법이나 은폐 스킬 사용허가를 요구하길래 허가해 주었다. 그러고 보니 어젯밤에 금지한 다음에 허가하는 걸 깜빡 했네.

"포치도 지키는 거예요!"

"타마도~?"

"그래, 너희 둘은 아리사의 양 옆을 지켜줘라."

"네, 인 거예요!"

"네잉네잉~."

기합이 들어간 포치와 타마의 머리를 쓰다듬어 주었다.

성에서 매일 목욕을 한 덕에, 만났을 때하고 다르게 머리칼도 매끄럽다.

"그렇지. 생활마법을 쓰는 주술사를 만나면 세정마법으로 깨끗하게 씻겨달라고 해라."

그리고 생활마법비로 은화를 몇 닢 추가했다.

"저기, 주인님. 돈이 남으면 군것질해도 돼?"

"대동화 한 닢까지는 괜찮아. 점심식사도 포함한 거니까 간식거리만 사먹으면 안된다."

"네~에."

활기차게 대답한 아리사가 데프타 길로 이어지는 골목으로 돌격했다.

포치랑 타마를 양 옆에 거느리고 가는 모습이 골목대장 같았다. 뒤에 따라가는 리자가 보호자로 보였다.

"꽤 스스럼 없는 느낌의 노예들이네요?"

"노예답지 않을지도 모르지만, 저러는 게 제 마음이 편해서요."

주위에서 거창하게 받들어주면 구제불능이 될 자신이 있으니까 저 정도가 딱 좋다.

니들렌에게 노예에 대해서 여러 가지 배웠는데, 저 정도면 뭐 허용범위 안이다.

◆

"오늘은 일을 쉬는 건가요?"

"네. 미궁의 조사가 일단락되어서 오늘 하루 휴가를 받았어요."

제나 씨는 기쁘게 웃었지만, 미궁에서 탈출한 뒤로 반나절 휴가 한 번밖에 없었다니, 블랙기업들이 새파랗게 질릴 정도로 가혹한 노동환경이다.

본인은 신경 안 쓰는 것 같아서 지적하지 않았지만, 과로로 쓰러지지 않을까 걱정이다.

"내일부터 부대로 복귀인가요?"

"아뇨. 신설되는 미궁선발부대에 인계사항이 있어서요. 여태까지 일하던 영지순찰대로 돌아가려면 빨라도 닷새 정도 걸릴 것 같아요."

제나 씨 말을 들어보니, 영지순찰대는 한 번 출발하면 2, 3일 돌아오지 않는 장기순찰과 하루 걸리는 단기순찰 두 종류가 있다고 했다.

마법병을 포함한 부대는 기본적으로 장기순찰 루트에 파견되기 때문에 부대에 복귀하면 좀처럼 만날 수 없다고 한다.

—그러고 보니, 아리사가 미궁에 들어가고 싶댔지.

"제나 씨. 그 미궁은 영지군 관계자가 아니면 당분간 못 들어가나요?"

"네. 적어도 몇 개월은 봉쇄될 거예요. 혹시 아는 사람이 미궁에서 돌아오지 않았나요?"

"아뇨. 그런 건 아니고요. 약간 흥미 위주로 물어본 것뿐이에요. 걱정을 끼쳐서 죄송해요."

아무래도 아리사의 부탁은 들어주지 못할 것 같다.

아인 소녀들도 있으니, 세류 시 관광이 끝나면 미궁도시라도 가볼까?

제나 씨랑 못 만나는 건 좀 쓸쓸하지만, 또 놀러 오면 되겠지.

"사토 씨, 오늘은 다른 예정 있으세요?"

내 생각에 빠진 탓인지, 제나 씨 물음에 깊게 생각지 않고 솔직하게 대답해 버렸다.

"네. 해결사한테 임대주택이나 아인이라도 묵을 수 있는 여관을 소개해달라고 하려고요. 우리 애들을 언제까지고 마구간에서 지내게 할 수는 없으니까요."

"저, 저기, 같이 가도 될까요?"

양 손을 움켜쥔 제나 씨가 나를 불안스레 올려다보았다.

"상관없지만, 모처럼의 휴일인데 이런 일에 써도 괜찮나요?"

"네!"

그래도 집 찾기를 따라다니는 건 별로 재미없을 것 같은데……. 이렇게 밝은 미소로 딱 잘라 말하면 거절할 수도 없었다.

나는 제나 씨와 함께 문전 광장을 끼고 맞은편에 있는 해결사 건물로 갔다.

"안녕하세요? 누구 안 계세요?"

해결사 건물 1층에 아무도 없길래 큰 소리로 사람을 불렀다.

레이더로 2층에 사람이 있다는 걸 알았기 때문에 음량을 필요한 만큼으로 조정했다. 전에 얻은 「확성」 스킬 덕분인지 큰 소리를 내도 목이 안 아프다.

"네~에."

2층에서 차분한 목소리가 들리고, 탕탕거리며 계단을 내려오는 소리가 들렸다.

해결사 안에는 들어가서 멀지 않은 곳에 목제 카운터가 있었고, 그 너머에 소파 세트나 중후한 집무용 책상이 있었다.

소파 세트 앞에 있는 테이블 위에는 잡다한 서류가 쌓여 있었다. 마치 옛날 탐정사무소 같은 분위기였다.

"기다리셨죠. 해결사 나디입니다."

붉은 머리칼을 땋아서 올린 스무 살 가량 되는 여성이 계단에서 나타났다. 하얀 셔츠에 점퍼 스커트 같은 짙은 녹색 스커트를 입었다.

"어떤 용건으로 오셨나요?"

"네. 여관이나 임대주택을 소개받고 싶어서요—."

나는 아인 노예가 있어도 묵을 수 있을 것과, 방범이 제대로 될 것을 조건으로 달았다.

되도록 한적한 장소가 좋겠지만, 그건 앞에 두 가지 조건보다 우선 순위가 떨어진다.

"아인도 함께라면, 서쪽 거리나 장인 거리의 서쪽 근처가 괜찮겠어요. 서쪽 거리의 여관은 방범에 불안요소가 남으니까 임대주택이 좋을 것 같습니다."

나디 씨가 부동산 파일 같은 걸 뒤지면서 조사해 주었다.

제대로 된 장부 같은 게 있는 게 뜻밖이다— 라고 말하면 실례인가?

"예산은 어느 정도인가요?"

"그게, 은화 2닢 정도 생각하고 있어요. 부족하면 금화 1닢까지는 괜찮아요."

“그렇다면 몇 건 있을 거예요.”

약간 비싼 문전여관의 숙박비가 1박에 대동화 한 닢이니까 거기에 사람 수를 곱한 금액에 조금 여유를 두어서 은화 2닢이라고 해봤다.

꽤 분발했는데 나디 씨의 반응을 보니 시세에 아슬아슬하게 맞나 보다.

“이 세 건이라면 조건에 맞을 거예요. 다만…….”

나디 씨가 어물거린 다음에 말을 이었다.

듣자니 죄다 사연 있는 건물이라고 한다.

일단은 한 번 직접 보고서 빌릴지 말지 정하기로 했다.

첫 번째. 주인이 범죄길드 소속의 인물에게 암살당한 300평쯤 되는 2층짜리 저택. 돌 벽에 덩굴이 엉켜 있어서 차분한 서양관처럼 보였다.

맵으로 입체도를 확인해 보니 정문에서 보이지 않는 장소에 커다란 구멍이 뚫려 있었다.

아마 암살자가 침입할 때 뚫은 것이 그대로 방치되었을 것이다.

저택 바깥쪽에서는 나무에 가려서 안 보이길래, 안을 안내해 줄 때 구멍이 있는 장소로 유도했다. 물론 길을 잃은 척하면서…….

두 번째는 이동할 때 사용한 마차를 멈추지 않고 그대로 지나쳐 버렸다. 창관들이 늘어선 길 바로 뒤였다.

나디 씨가 건물에 대해 설명하기 시작하자마자, 제나 씨가 딱딱한 목소리로 「계속 가주세요」라고 마부에게 지시했다.

푹 숙인 얼굴이 새빨개져서 조금 귀여웠다.

세 번째는 유령이 나온다고 하는 외벽 가까운 곳의 허름한 저택이었다.

100년 전까지 귀족의 저택이었다고 하는데, 세 건 중에서 가장 커다란 저택이었지만 여기에 살 수는 없었다.

호러나 스플래터를 싫어하기도 하지만, 그 이전에 이 저택 지하가 범죄길드의 소굴이어서 살인 같은 중범죄를 저지른 놈들이 우글거리고 있었다.

분명히 잠잠해질 때까지 잠복하려고 유령이 나온다는 소문을 흘렸을 것이다.

—응?

레이더 광점의 움직임이 묘하다. 저택 범위 바깥으로 이동하고 있었다.

수상하길래 맵으로 확인해 보니 시외로 빠져나가는 지하도가 있었다. 아마도 귀족의 저택이었을 때부터 있었을 것이다. 밀수 같은데 쓰고 있겠군.

나는 안에 들어가려는 나디 씨를 말렸다.

"여기는 어째 불길한 예감이 들어요. 관둡시다. 저주 받을 것 같아요."

내 말에 제나 씨가 뜻밖이라는 표정을 지었다. 확실히 해골 마물(스켈레톤) 같은 게 어슬렁거리는 미궁에서 탈출한 사람이 할 말은 아니긴 하네.

"유령(고스트)이나 불사(언데드)의 마물이 있으면 신전에 기부하고 퇴치해달라고 하면 되는데요?"

나디 씨가 판타지 세계다운 대처방법을 제안했지만, 정말로 신관을 불러도 지하의 범죄자들이 몸을 숨길 뿐이겠지.

나중에 몰래 밀고문서를 작성해서 위병 대기소에 찔러야지.

분명히 「암약」 스킬이 도움이 될 거다.

◆

결국 보고 온 저택이 모두 조건을 만족하지 못했기 때문에 주택 견학은 끝내기로 했다.

"—한 소월에 은화 2닢 예산이라면 분명히 다른 건물도 나올 거예요. 저는 오후부터 상회 쪽을 돌면서 괜찮은 물건이 없나 찾아보겠습니다."

나디 씨가 힘차게 말해준 덕분에, 저녁 때 또 한 번 해결사에 들르기로 했다.

하루에 은화 2닢을 생각했었는데 집세는 소월— 열흘 단위

금액이었나 보다.

역시 뭐든지 확인을 해봐야겠네.

저녁때까지 한가해져서 제나 씨가 가고 싶은 곳이 없는지 물어봤다. 전에 말한 레스토랑은 사전 예약을 해야 하기 때문에 오늘은 무리라고 했다.

제나 씨가 말을 잇지 못하자, 나디 씨가 도와주었다.

"요 앞 광장에서 어제부터 벼룩시장이 열리고 있어요. 뜻밖에 좋은 물건이 잔뜩 있어서, 저도 마지막 날에 점장님과 같이 재고품들을 사러 갈 거예요."

나디 씨가 「데이트하기 좋아요」라고 권하자 제나 씨의 볼이 빨개졌다.

기왕 이렇게 됐으니 제나 씨와 함께 벼룩시장을 둘러보고 가기로 했다.

나디 씨 말을 들어보니, 벼룩시장에 설치된 야외 스테이지에서 개최되는 『무노 후작령의 비극』이란 비련의 연극이 인기가 높다고 한다.

벼룩시장에는 사람들이 많아서, 레이더 감지 범위를 좁혀 반경 5미터를 확대 표시했다. 이 정도면 다가오는 사람도 금세 알 수 있겠지.

"주인님, 인 거예요!"

"발견~?"

포치랑 타마가 기세 좋게 달려와 허리춤에 안겨 들었다.

뒤에 리자와 아리사도 보였다.

"어라? 장보기는 어떻게 하고?"

"짐은 거추장스러우니까 여관에 두고 왔어. 이거 봐!"

아리사는 후드가 달린 외투를 벗어 리자에게 건넨 다음, 그 자리에서 한 바퀴 빙글 돌았다.

엷은 분홍색 스커트가 훌쩍 떠올라 각선미가 드러났지만, 어린애 다리라서 섹시함이 전혀 없었다.

테프타 길에서 구입한 새 옷이겠지.

포치와 타마도 후드가 달린 외투 앞을 열어서 새 옷을 보여 주었다. 타마는 귀여운 프릴이 달린 분홍색 원피스, 포치는 마사랑 비슷한 하얀 셔츠와 노란 스커트. 리자는 군복처럼 튼튼해 보이는 옷이었다. 스커트 아래에 바지를 입었다.

포치와 타마도 아리사처럼 빙글 돌려고 했지만, 사람들이 많아서 리자가 말렸다.

"다들 귀엽다."

포치와 타마의 후드 쓴 머리 위에 손을 올리고 모두 칭찬했다.

인사치레가 아니라 정말로 귀엽다.

"그런데, 그 가발은?"

"에헤헤~, 불길한 색 대책이야."

그렇다. 아리사는 금색 가발을 쓰고 있었다.

아무래도 보라색 머리칼을 얼버무리려고 산 모양이다.

"괜찮지?"

"그야 물론이지."

트러블 대책이니까 필요경비라 쳐야지.

"그리고 사달라고 조르고 싶은 게 있는데에."

아리사가 평평한 가슴을 밀어붙이면서 아양 떠는 시선으로 올려다보았다.

"달라붙지마. 그보다 뭐가 필요한데?"

아리사를 떼어내면서 용건을 확인했다.

제나 씨의 시선이 묘하게 따가운 데다가 포치랑 타마가 따라하면 곤란하다.

제나 씨에게 양해를 구하고, 아리사가 사고 싶다는 걸 보러 갔다. 따라가 보니 노점에 카르타[#3] 같은 카드가 있었다.

젊은 점주에게 양해를 구하고 한 장 집어 보았다.

앞에 「우물」이나 「물통」 같은 그림이 그려져 있고, 뒷면에는 그림에 해당하는 시가 왕국어의 단어가 써 있었다.

그림은 흑백이지만 특징을 강조해서 뭘 그린 건지 잘 알 수 있었다. 「물」을 가리키는 카드는 뭘 그린 건지 조금 알기 어려웠지만, 그런 건 몇 장 안됐다.

100장 한 세트로 한 장씩 정성스레 그림이 그려져 있었다.

이건 포치나 타마에게 문자를 가르치기 좋겠네.

"재밌는 카드네."

#3 카르타 일본의 전통놀이에 쓰는 놀이용 카드. 글귀와 함께 그림이 그려져 있다. 본래 카르타는 포르투갈어.

“제가 생각했어요. 고향 친구들한테 문자를 가르쳐 줄까 해서요.”

그가 말하기로는 원래는 목재에 숯으로 그렸다고 한다. 이게 팔릴 것 같다고 생각한 그는 그림을 그리는 지인에게 부탁해서 한 세트를 만들고 상회에 팔러 갔다고 한다.

그러나 제작 단가와 가격이 맞질 않아서 실패했다고 한다. 제작 단가는 은화 4닢인데 상회가 제시한 금액은 은화 1닢이었다고 한다.

“이건 한 장씩 따로 그려서 만들었나?”

“네. 그야 물론 그렇죠…….”

판화로 만들면 코스트가 내려가지 않을까?

그렇게 제안하려고 했지만, 아리사가 손을 끌어 방해했다. 입 앞에 검지를 세우고 있었다.

“왜?”

“판화를 제안하려고 했지?”

아리사가 작은 소리로 말하길래, 나도 그에 맞춰서 작은 소리로 대답했다.

“무슨 문제 있어?”

“성에 있을 때도 판화를 본 적이 없어. 섣불리 기술을 가르치면 위험해.”

“인장은 있는데 판화는 없어?”

“기술이란 건 그런 건가 봐.”

어렴풋한 기억이지만, 지구의 역사에서도 인장이 만들어지고 활판 인쇄가 발명되기까지 천 년 이상 걸렸을 것이다. 어떤 분야의 기술을 다른 분야에 응용하는 건 오랜 시간이 걸리는 걸지도 모른다.

이 세계에 찾아온 전이자나 전생자가 활판 인쇄나 판화를 보급하지 않은 이유가 굉장히 신기하기는 하지만…….

한 번 실패를 경험한 아리사가 주장하는 거니까 판화를 제안하는 건 관둬야겠네.

둘이서 소근거리는 걸 멈추고 젊은 점주를 보았다.

“미안해. 얘가 어려운 이야기를 싫어해서 말이지.”

“이쪽이야말로 죄송합니다. 흥미를 가져 주는 사람이 적어서…….”

흥미를 가지는 사람이 적은가? 그럭저럭 팔릴 것 같은데 말이지.

“한 세트 사고 싶은데 얼마지?”

그는 우울한 표정을 조금 밝게 고치면서 한 세트 은화 4닢이라고 제시했다. 원가 그대로네.

“괜찮나? 그러면 돈벌이가 안 되잖아?”

“괜찮습니다. 이 상품의 장점을 알아주는 분이 사주신다면야.”

약간 기운이 빠진 그를 두고 볼 수가 없었다.

기껏 좋은 아이디어인데 썩고만 있으면 아까우니까.

"다음에 만들 때는 어떻게 할 셈이지? 수요는 있을 것 같으니까 문제는 가격이야. 값싼 소재로 만들거나, 싸게 양산할 수 있는 방법을 찾거나, 여러모로 시행착오를 해보는 것도 나쁘지 않겠지."

대금을 지불할 때 괜한 말을 해버렸다. ……이 정도 조언은 괜찮겠지.

젊은 점주의 눈동자에 힘이 돌아오는 것을 흘깃 보면서 그 가게를 등졌다.

구입한 학습 카드를 아리사에게 건넸다.

"그리고 또 뭘 사고 싶어?"

"생활용품 같은 것들. 예산이 충분하면 재봉도구나 손거울 사도 돼?"

"그래, 예산 안에서 필요한 거라면 상관없어. 손거울은 예산을 넘어도 좋으니까 하나 사둬."

매번 세면기에 비치는 걸 확인하는 게 귀찮았거든.

용의 계곡 전리품 중에 「깨진 거울」이라는 게 있었지만 괜히 쓰다가 다칠 것 같았다.

마저 장을 보러 가는 애들과 헤어져서 제나 씨를 데리고 연극을 보러 갈까 했더니 아리사가 불러 세웠다.

"주인님은 야외 스테이지 연극 보러 안 가?"

"갈 생각인데."

"그러면 벼룩시장 입구에서 파는 관람권 샀어?"
"아니, 안 샀어."
그런 데서 티켓을 팔고 있었구나.
혼잡하지만 인파의 흐름을 타면 금세 갈 수 있겠지.
"릴리오 말로는 입장할 때 천화 한 닢을 내면 된다고 했는데요?"
"그것도 좋지만, 자리 뒤쪽에서 서서 보는 거야. 동화 2닢이지만 관람권이 있으면 자리에 앉아서 볼 수 있어."
"앉아서 보기만 하는데도 10배나 비싼 건가요?"
제나 씨가 놀랐지만, 서서 보는 가격이 너무 싼 거라는 생각이 들었다.
연극이 어느 정도 긴지 모르지만, 앉아서 보는 편이 좋겠다.
"그러면 여섯 명의 관람권을 사올게—."
아이들도 보러 간다고 하길래, 그렇게 말하자 리자가 대신 사러 간다고 나섰다.
리자에게 동화 12닢이 든 주머니를 맡기고, 우리는 야외 스테이지 방면을 향해 나아가면서 벼룩시장을 둘러보았다.
제나 씨에게는 미안하지만, 어쩌다 보니 혹을 달고 노점을 돌게 되었다.
일단 제나 씨에게 양해를 구했지만, 포치와 타마의 손을 잡고서 즐거운 듯 노점을 도는 모습에 불만은 없어 보였다. 그래도 나중에 풀어주는 걸 잊지 말아야지.

벼룩시장의 노점은 옥석이 뒤섞여 있었다.

그냥 고물인 뼈 세공품 액세서리 사이에 귀여운 은제 귀걸이가 있기도 했다.

"이건 제나 씨의 금색 머리칼에 잘 어울리겠어요."

"근사하네요."

제나 씨가 기뻐하며 귓가에 가져갔다.

"어울려요?"

물어보길래 당연히 칭찬해 주었다.

옆에서 아리사가 자기도 가지고 싶다고 주장하길래 옆 노점에서 팔던 리본을 사줬다.

물론 아리사뿐만 아니라 여관에서 기다리는 루루도 포함해서 모두에게 하나씩 골라줬다.

제나 씨가 아쉬운 듯 귀걸이를 돌려놓았다. 아리사처럼 순순히 사달라고 조르는 게 오히려 사주기 쉬운데…….

애들이 제나 씨 손을 끌면서 다음 가게로 돌격하길래, 그 틈에 아까 그 귀걸이를 구입했다. 돌아갈 때 선물해야지.

관람권을 사온 리자와 합류한 다음, 그녀를 독려하려고 창에 다는 여러 가닥의 실 장식을 사줬다.

모든 가게에서 시세 스킬이 알려주는 가격보다 싼 가격으로 샀다. 이건 벼룩시장이라서 그런 건지 「교섭」 스킬이나 「흥정」

스킬 덕분인지 분명치 않았다.

야외 스테이지에 도착하는 동안 두 번 정도 소매치기나 공갈범을 만났지만, 적의를 가지고 다가오는 작자는 레이더가 가르쳐주기 때문에 신속하게 대처할 수 있었다.

포박한 소매치기는 벼룩시장을 개최하는 대표자들에게 고용되어 순찰을 도는 험상궂은 남자들에게 넘겼다.

이런 범죄자는 강경하게 대응할 수 있어서 다행이지만, 제나 씨를 꼬시려는 남자들에게 대처하는 건 귀찮았다.

그것도 제나 씨에게 손을 뻗으려고 할 때, 나와 리자가 물리적으로 차단했다.

◆

"아리따운 처녀여. 나는 달빛 아래가 아니라 밝게 빛나는 태양 아래서, 그대의 미소를 찬양하고 싶다오."

"아아, 사랑하는 젠. 당신의 마법으로 나를 이 감옥 같은 성에서 데려가 주세요."

무대 위에서 후드가 달린 로브를 입은 마법사 역할 남자 배우가 드레스 차림의 흑발 여배우에게 사랑을 속삭이고 있었다. 싸구려 티가 나게 그려진 만월이 바랠 정도의 열연이었다.

……젠이라. 아리사랑 만난 탓에 일본인 같은 이름을 보면 한자로 변환할 수 있나 생각하게 된다. 젠이라면「禪」이나「善」

으로 쓰려나?

나는 비극을 별로 좋아하지 않아서 이야기에 집중하지 못하고 괜한 생각을 하고 있었다.

한편 아리사와 제나 씨는 이런 이야기를 굉장히 좋아하는지, 몸을 내밀고 이야기에 몰입하고 있었다.

이 연극은 실화를 기반으로 한 비극이라서 등장인물이 조금 복잡했다. 그 탓인지 포치랑 타마는 이야기를 이해 못하고 진작에 내 무릎을 베개 삼아 잠들었다.

리자는 진지한 표정으로 무대를 보고 있지만, 연극을 보는 게 아니라 야외 스테이지에서 풍겨오는 꼬치구이 냄새에 신경을 집중하고 있었다.

바람을 타고서 새 기름이 타는 냄새가 풍겨올 때, 리자의 눈이 먹잇감을 노리는 눈빛으로 변했으니까 틀림없다.

졸고 있는 포치와 타마의 코를 잡으면서 장난치고 있는 동안에 무대의 스토리가 진행되고 있었다.

"이제 도망칠 곳은 없다! 고작해야 평민 마술사 주제에 나무노 후작의 약혼녀 리루티에나 공주를 납치하다니! 그 죄가 무겁도다!"

기사들을 거느린 후작 역할의 살찐 남자 배우가 주인공을 궁지에 모는 장면이었다.

주인공은 벼랑 위처럼 만든 세트 위에서 히로인을 지키며 용맹하게 지팡이를 겨누고 있었다. 어째선지 두 사람 뒤에 시녀 같은 복장의 여성이 대기하고 있었다.

—저 시녀, 아무래도 무슨 복선 같은데…….

대사 마지막에 거창하게 손을 휘두르자, 무대 앞쪽에 암막으로 가려져 있던 그림이 드러났다.

“꺄.”

“으엑.”

제나 씨와 아리사가 몸을 빼면서 내 양 옆에서 팔을 끌어안았다.

드러난 그림은 처형대에서 참수된 사람들이었다.

취향 참 더럽다고 생각했지만, 객석에서 비명과 환성이 오르는 걸 보니 효과가 있나 보다.

상당히 바이올런스한 표현이 관객에게 먹히는 도시네.

“아버지! 어머니! 이놈 후작, 어린 동생들이나 친척들마저 죽인 것이더냐!”

“어디서 소리를 치느냐! 평민이 후작에게 거스른 것이다. 반역자 일족 따위 참수하는 것이 당연하도다! 고문하지 않고 죽여준 자비에 감사하도록 해라!”

주인공의 눈에서 붉은 액체가 끊임없이 흘렀다. 어떻게 효과를 낸 걸까?

주인공의 마법이 휘몰아쳐, 후작을 지키는 기사들을 무대 끝으로 날려버렸다.

물론 진짜 마법이 아니라 그림과 효과음을 넣은 시시한 연출이었지만 객석에서는 커다란 환성이 올랐다.

진짜 마법사가 있는 세계니까 빛이나 바람의 마법으로 연출해주면 좋겠는데.

"네놈에게는 과분한 기사들이다! 그러나 이제 네놈을 지키는 자는 없다. 내 일족의 원수를 갚아주마."

주인공이 긴 지팡이를 들어올렸다.

그때 예상했던 대로 시녀 역할 여성이 움직였다.

굳이 객석을 돌아본 다음, 품속에서 칼을 꺼내 천천히 뽑았다.

"뒤를 조심해!"

관객들이 주인공에게 외쳤다. 응, 마음은 이해가 된다.

제나 씨도 외치지는 않았지만 이야기에 몰입하고 있었다. 내 팔을 붙잡은 손에 힘이 들어가서 쪼끔 아프다.

당연하지만 주인공은 객석의 목소리에 반응하지 않고, 주문을 외면서 후작 역할의 배우를 향해서 천천히 걸어가고 있었다.

그때 뒤에서 달려온 시녀 역할 여배우가 단검을 주인공의 등에 꽂았다.

"이놈, 후작의 수하였더냐!"

"당신은 공주님에게 걸맞지 않습니다!"

단검에 찔렸는데도, 주인공은 잘 울리는 목소리로 시녀 역할 여배우를 규탄했다. 그리고 대사가 끝나는 것과 동시에 과장되게 괴로워하며 땅에 무릎을 꿇었다.

그제서야 히로인이 주인공에게 달려갔다.

"이 단검에는 와이번의 꼬리에서 추출한 맹독이 발라져 있습니다. 결코 살아남지 못할 테지요."

시녀가 관중을 향해서 설명조의 대사를 했다.

히로인은 괴로워하는 주인공에게 매달려 울고만 있었다.

"사랑하는 사람, 내세에서 만나오—."

"아아, 젠!"

드디어 주인공이 죽었다.

"공주님, 후작님 곁으로 가시죠."

"아니! 이 몸은 젠의 것. 후작 마음대로 되지는 않아요!"

히로인이 외치더니, 젠의 몸에 꽂혀 있던 단검을 뽑아 자기 가슴에 찔렀다.

관중— 특히 여성 관객들이 히로인에게 감정이입하여 소리를 냈다.

"관객들의 소리야."

포치와 타마가 그 소리에 놀라서 주위를 두리번거리길래 속삭여서 진정시켰다.

둘 다 내 무릎 위에 머리를 툭 올리더니 부비부비한다. 두 소녀의 귀 밑을 살살 긁어주면서 무대로 시선을 되돌렸다.

비극이라고 듣기는 했지만 참 구제할 길 없는 이야기네.

이걸로 끝인가 했더니 아직 무대가 이어지고 있었다.

벼랑 위에 버려진 주인공의 시체가 언데드로 부활하여, 후작 가문 사람들에게 차례차례 복수를 이루었다.

방금 전에 주인공을 죽인 시녀가 또 다시 독 단검으로 주인공의 가슴을 찌르는 장면에서는 「불사족인 이 몸에 독 따위 듣지 않는다!」고 외치면서 자기 원수를 갚기도 하는 등, 전반에서 주인공과 연관되었던 장면을 복선으로 살려서 제법 흥미로웠다.

다만 마지막의 마지막에 가서 후작에게 복수를 성공하기 직전에, 툭 튀어 나온 성기사에게 쓰러지는 게 납득이 안 됐다.

나랑 비슷한 생각을 하는 사람이 많은지 객석에서 야유가 들렸다.

웃으면서 야유를 하는 사람도 있으니, 여기서 후작과 성기사에게 야유를 보내는 게 『약속된』 행위인 모양이다.

오, 아직 이어지네.

"나는 이 땅에서 지노라! 그러나, 이 영지도 길동무 삼아주마! 저주 받으라. 무노 후작이여!"

주인공이 있던 장소에서 검은 연기가 피어오르고, 연기가 사라지자 배경의 그림이 폐허로 변했다.

"성기사여! 내 행동으로 내 백성이 고통 받는 것을 보니 견딜 수가 없소. 그들을 위해서라면 어떤 일이라도 하겠소이다!"

"오오, 이토록 고결하다니! 과연 왕조 야마토 님 대부터 이어지는 명문 무노 가문의 당주!"

후작의 성격이 갑자기 바뀐 것 같다. 성기사도 쓸데없이 추켜세우고 있고…….

결국 후작이 자기 몸을 희생하여 후작령의 저주를 받아 죽음에 이르는 장면으로 막이 내렸다.

연극이 끝난 다음에, 열심히 보고 있던 아리사가 목이 마르다고 하길래 가까운 나무 아래서 과실수를 마시며 쉬기로 했다.

"제나 씨도 드세요."

"고맙습니다."

인사를 하면서 도자기 컵을 받은 제나 씨가 기세 좋게 컵을 기울였다.

역시 제나 씨도 목이 말랐나 보다.

함께 사러 간 리자가 포치와 타마에게도 과실수가 든 컵을 건넸다.

약간 출출하길래 가까운 노점에서 파는 빵을 사러 갔다.

간장이 타는 냄새에 이끌려서 와버렸다. 얇은 가보 빵이란 건데, 그 판타지 야채 가보 열매를 사용해서 만든 빵인가 보다. 가격은 아주 싸서 2개에 천화 한 닢이었다.

평범한 것과 희석한 간장을 발라서 파를 넣은 것 두 종류가 있길래 하나씩 주문했다. 연극이 끝나고서 흘러나온 관객들이 구입한 다음인지 만들어둔 게 남아있지 않았다.

바로 옆 가게에서 팔고 있는 얇은 오코노미야키[#4] 같은 것도 맛있어 보이길래 주문했다. 이건 크랩이라고 하는 처음 들어보

#4 오코노미야키 일본식 철판 요리. 반죽 위에 취향대로 재료를 넣어 구워 먹는다.

는 음식이었다.

음식을 기다리는 동안 크랩을 기다리던 중년여성이 말을 걸었다. 아까 앞자리에 앉았던 사람이었다.

“어머나, 뒷자리에 있던 분이죠? 외국 분인가요?”

“네. 행상인 사토라고 합니다.”

“어머, 정중하셔라—.”

그녀는 자기소개를 한 다음, 크랩이 구워질 때까지 심심풀이로 연극 마지막이 조잡한 이유를 가르쳐 주었다.

“아까 연극 마지막 부분이 참 심했죠?”

“아무 전조도 없이 성기사가 나오거나, 후작의 성격이 바뀐 거요?”

“그래요, 사실은요—.”

그녀 말을 들어보니, 20년쯤 전에 연극의 각본을 썼을 때는 마술사가 후작에게 복수를 이룩한 다음에 성기사에게 토벌되어 끝나는 이야기였다고 한다. 그런데 귀족들이 참견해서 이런 식으로 변경되어버린 것이다.

그리고 리루티에나 공주도 본래 이야기에서는 평민의 딸이며, 호색한 후작이 유부녀였던 그녀를 데려가는 것이 사건의 시작이라고 했다.

—그렇군. 나중에 비틀어 버린 탓에 이상한 전개가 됐구나.

빵과 크랩이 구워지자, 그녀에게 인사를 하고 일행들 곁으로 돌아갔다.

"뭐 사왔어?"

"얇은 가보 빵 보통 맛이랑 파간장 맛, 그리고 크랩이라는 거다."

다들 흥미진진하게 가보 열매 빵을 작게 찢어서 들었다.

제나 씨는 쓴웃음 짓는 표정으로 거부하길래 나머지를 전부 나눠서 먹었다.

—쓰다.

굉장히 씁쓸하고, 씹을 때마다 구역질이 나는 기묘한 맛이었다.

익숙한 현지인에겐 맛있을지도 모르지만, 나는 무리다. 고통내성을 유효화시켜서 단숨에 씹어먹었다.

과실수를 마셔서 입가심을 했다.

겨우 한숨 돌리고 다들 살펴보니, 아인 소녀들은 미묘한 표정으로 평범하게 먹었지만 아리사는 울상이 되어 씹고 있었다.

"아리사, 먹기 싫으면 여기 뱉어도 된다."

"고마워. 이건 무리야."

내가 손수건을 내밀자, 아리사가 재빨리 입안에 있는 걸 처리했다.

그러고 보니 제나 씨가 「가보 열매는 맛이 없다」고 했었지. 간장 냄새로 얼버무린 탓에 방심해 버렸다.

한편, 크랩은 평범하게 맛있었다.

이건 딱딱하게 구운 오코노미야키 같은 느낌인데, 돈가스 소스가 아니라 된장으로 맛을 낸 거라 완전히 다른 요리였다.

우리는 나무 아래서 크랩을 갉아 먹으며 잡담을 나누었다.

"약속되어 있는 뜨거운 전개의 연속이라 좋았어~."

"리루티에나 공주가 마술사 젠의 뒤를 따라 자살하는 부분에서 울어 버렸어요."

제나 씨가 조금 빨개진 눈가를 비볐다.

"에~이, 거기서는 단검을 몰래 회수해서 후작에게 복수해야지! 죽으면 아무 것도 안 되잖아."

크랩을 먹느라 볼이 빵빵해진 아리사가 제나 씨에게 반론했다.

"빠삭하고, 아사삭한 거예요!"

"마시써~?"

"어떤 국물을 쓴 걸까요? 희미하게 고기 맛이 납니다."

한편 아인 소녀들의 화제는 연극이 아니라 크랩이었다.

"그러니까, 사랑하는 사람들을 찢어놓으려는 후작이 원흉이잖아?"

"하지만, 집안끼리 정해진 약혼자를 먼저 배신한 것은 리루티에나 공주니까 비극의 발단은 그녀가 아닐까요?"

아리사와 제나 씨는 가치관이 조금 다른지, 점점 어조가 거칠어졌다.

아리사는 「사랑이 전부」, 제나 씨는 「귀족이라면 집안을 위해서 시집가는 것이 당연」하다는 주장으로 충돌하고 있었다.

“그럼 말야! 제나는 우리 주인님보다 집안사람이 정해준 약혼자가 좋아?!”

“……저, 저는 약혼자 없어요.”

아리사의 말에 제나 씨가 밀렸다.

딱히 제나 씨하고는 연인관계도 아니고 말이지, 연애대상이 되려면 앞으로 4, 5년쯤 지나야 하는데 말이야.

“그거, 약혼자가 정해지는 게 싫어서 군에 들어간 거 아냐? 이 주변 나라들은 군대에 들어가면 5년 동안 퇴역을 못하니까.”

아리사 녀석 자세히 알고 있네.

“현역이랑 약혼자랑 무슨 상관인데? 군인이라도 결혼은 할 수 있지 않아?”

“이쪽 여자들은 결혼하면 그 집으로 들어가야 돼.”

그렇군. 그래서 군에 들어가면 5년은 결혼 못하니까, 퇴역할 때까지 그런 이야기가 안 나오는구나.

상위귀족이라면 사정이 다르겠지만, 제나 씨는 하급귀족이니까 이른 단계에서 이야기가 오가지 않는 건가?

“여자라면, 좋아하는 사람을 위해서 모든 것을 버릴 각오를 해야지 안 그러면 사랑이 아니야!”

“하지만, 당주의 의향을 무시하면서까지…….”

“그렇게 착한 아이처럼 굴면, 가장 사랑하는 사람을 남한테 빼앗긴다구!"

아리사가 조금 폭주하고 있어서, 나는 아리사의 머리를 가볍게 때리는 것으로 말싸움을 막았다.

"말이 심하다."

아리사의 말도 이해는 되지만 문화가 다른 나라에서 일본의 가치관을 강요하는 건 좋지 않았다.

눈가에 눈물 짓고 있는 제나 씨에게 사과하고, 아리사에게 고개를 숙이게 했다.

"미안해."

처음에는 내키지 않는 듯 했지만 분명하게 제나 씨에게 사과했다. 뜻밖에 순종적인 녀석이다.

〉「조정」 스킬을 얻었다.

〉호칭 「조정자」를 얻었다.

우리가 싸움이라도 하는 줄 알았는지, 포치와 타마가 불안해 보였다.

"크랩 또 하나 먹을래? 아니면 저 꼬치구이 먹을까?"

"꼬치구이~?"

"크랩도 맛있었지만, 꼬치구이가 좋은 거예요!"

"몇 개나 사올까요— 주인님?"

분위기를 바꾸려고 제안했더니 아인 소녀들이 빠르게 반응했다.
특히 리자는 어느샌가 일어서서 꼬치구이 노점으로 향하려는 참이었다.
—너무 빠른 거 아니냐?
“사람 수대로 사와라.”
리자에게 잔돈을 건넸다.
“홍정은 내가 맡을게!”
아리사가 말하고 리자를 따라갔다.
“같이~?”
“돕는 거예요!”
포치와 타마가 그것을 따라 달려갔다.
조금 딱딱한 힘줄 꼬치를 악전고투하면서 다 먹었을 무렵에는 제나 씨의 표정에서도 딱딱함이 사라졌다. 하지만 아직도 아리사가 한 말을 조금 신경 쓰는 것 같았다.

성문의 습격자

"사토입니다. 개미는 일꾼의 대명사입니다만, 흰개미처럼 부지런하면 곤란한 종류도 있습니다. 이세계에는 더 위험한 개미도 있나 봅니다……."

문전여관이 보이는 장소까지 왔을 때, 순찰하고 돌아온 영지군 병사들과 만났다.

"아, 제나!"

"릴리오! 그리고 이오나 씨랑 루우도!"

제나 씨의 호위병 세 사람이 문전 광장에서 점호를 끝내고 이쪽으로 다가왔다.

또 와이번이랑 전투라도 했는지, 이오나 아가씨의 중장갑옷이 상처투성이였다. 루우라고 불린 몸집이 큰 여성은 한 쪽의 어깨갑옷이 없었다.

제나 씨가 서둘러서 달려가 바람 마법의 치유 주문을 외기 시작했다.

"주인님, 먼저 가서 짐 두고 올게."

"그래, 부탁한다."

아리사와 아인 소녀들은 여관 앞에서 헤어져 각자의 방과 마구간으로 향했다.

주문 영창으로 말하지 못하는 제나 씨를 대신하여 호위병들에게 말을 걸었다.

"꽤 힘들었나 보네요. 와이번이라도 나왔나요?"

"와이번이 그렇게 자주 나오면 군인 같은 거 관둘 거야."

릴리오가 탄식하면서 고개를 저었다. 이런 제스처는 일본이랑 다를 바 없었다.

"오늘은 큰 송곳니 개미(자이언트 팽 앤트)라는 마물과 만났습니다."

"정말이지, 그 쥐새끼들! 다음에 보면 꼬치로 만들어주겠어!"

이오나 양이 릴리오의 말을 보충하고, 몸집 좋은 루우의 말이 상황을 혼란에 빠뜨렸다.

개미랑 쥐, 둘 중에 어느 쪽인지 확실하게 해주면 좋겠다.

"큰 송곳니 개미의 무리와 만나기 전에 영내에 침입한 쥐 수인족(랫맨)의 기병을 봤습니다. 그래서 루우는 랫맨들이 큰 송곳니 개미의 무리를 끌고 온 것이 아닌가 추측해서 화를 내고 있어요."

내 표정을 본 이오나 양이 보충해 주었다.

그렇군. 랫맨이 큰 송곳니 개미를 이끌고(트레인) 온 건가?

까딱하면 세류 백작령과 쥐 수인족 사이에 전쟁이라도 일어날 것 같았다.

하지만 외부인한테 그런 얘기를 해도 되나? 그런 부분의 규율이 느슨한 건지, 시가 왕국에서는 정보관제에 중점을 두지 않는지도 모르겠네.

"선두에 선 녀석은 눈에 띄는 빨간 투구를 쓰고 있었으니까, 다음에 보면 반드시 처형대로 보내주겠어."

기염을 토하는 릴리오를 달래듯이, 제나 씨가 치유의 바람 마법을 발동시켰다.

"고마워, 제나."

"천만에요."

제나 씨는 입을 모아 감사하는 릴리오에게 미소를 지어주고, 다른 부상자들을 치료하러 갔다.

"꺄—악!"

여관 안뜰에서 어린 소녀의 비명이 들렸다.

—아차. 레이더 범위를 좁혀두고 있었지.

저 목소리는 유니다. 뱀이라도 나온 거겠지만, 조금 신경 쓰여서 그쪽으로 갔다. 어째선가 릴리오 일행도 따라왔다.

"사냥감~."

"주인님! 칭찬해줘, 인 거예요!"

타마가 머리 위로 뻗은 양손에 **무언가**를 들고서 이쪽으로 달려왔다. 타마 옆을 달려온 포치는 한 손에 가는 장작을 들고 있었다.

그것을 본 릴리오 일행이 일제히 칼을 뽑았다.

갑자기 살기가 향하자 포치와 타마가 그 자리에 멈췄다.

"괜찮아요. 벌써 죽었어요."

검을 겨눈 세 사람에게 AR표시로 확인한 사실을 전하고, 타마에게 어떻게 된 건지 물었다.

"그 **개미**는 어쩐 거니?"

그렇다. 타마가 사냥감이라고 들고 온 것은 「큰 날개 개미(플라잉 앤트)」의 시체였다.

"퇴치했어~?"

"마차 위에서 공격한 거예요!"

내 질문에 각각 대답하는 두 사람.

내던진 시체 곳곳이 둔기로 때린 것처럼 움푹 들어가 있었고, 머리 부분에 리자의 창이 관통한 구멍이 뚫려 있었다.

"주인님. 그밖에는 없는 것 같습니다."

리자가 창을 어깨에 지고 와서 보고했다. 뒤에 유니도 있었다.

유니는 무서웠는지 떨리는 손으로 리자의 외투를 잡고 있었다.

흠. 종류는 조금 다르지만 영지군이 퇴치하다 놓친 적인가?

레이더는 탐색범위가 좁으니까 맵을 열어서 정문 바깥에 펼쳐진 숲을 표시했다.

—빨갛다. 적을 표시하는 무수한 광점이 숲 속에서 다가오고 있었다.

"포치, 타마. 숏 소드를 가져와라. 아리사, 루루를 데리고 와. 리자는 침대를 만들 때 쓴 천막을 회수해와."

"네, 인 거예요!"
"네잉!"
"오케이~."
"알겠습니다."
내 지시에 네 사람이 재빨리 달려갔다. 아인 소녀들은 그렇다 치고 아리사는 이유를 물어볼 줄 알았는데 순순히 달려갔다.
내 행동이 갑작스러웠던 탓인지 이오나 양이 의문스레 물었다.
"무슨 일이지요?"
"큰 날개 개미는 결코 한 마리만 행동하지 않아요. 아마 후속 부대가 있을 겁니다. 몇 기라도 상관없으니까 정찰을—."
기껏 사기 스킬로 그럴 듯한 이야기를 날조했는데, 마지막까지 말하기 전에 시벽 탑 하나에서 경보가 울렸다.
아마도 감시병이 개미를 발견했겠지.
경보를 들은 제나 씨와 병사들이 지휘관 쪽으로 달려가 집합하는 것을 보았다.
마담이나 마사도 불안스런 표정으로 여관 밖으로 나왔다. 리자 대신 내 다리에 매달린 유니를 마담 쪽으로 보냈다.
맵의 상세정보를 보니, 큰 날개 개미는 레벨 3정도밖에 안 된다. 단독으로는 무장한 영지군 병사보다 약하다. 보통 성인이랑 비슷했다.
그러나 이 큰 날개 개미는 날카로운 발톱과 더불어 평범한 개미와 달리 딱딱한 껍질이 있었다. 게다가 하늘을 난다. 보통 사람에게는 충분히 위협적이었다.

도시를 뛰쳐나가서 하늘에 있을 때 「불씨 탄환(파이어 샷)」 마법으로 태워버리는 게 최선의 수단이지만, 비행형 마물의 이동 속도가 예상한 것 이상이라서 내가 잠깐 주저하는 틈에 개미들이 시(市)벽까지 이르러 버렸다.

시벽 위를 똑바로 통과하려고 접근하던 개미들이 눈앞에 유리벽을 발견한 새처럼 궤도를 바꾸어 시벽 너머로 돌아갔다.

몇 마리가 돌아가지 못하고 시벽 윗부분에 격돌해서 추락했다. 격돌을 피한 개미도 날기 어려운지 속도가 떨어지자 시벽 위의 궁병들이 조준사격을 해서 떨어뜨렸다.

—뭐지?

“시벽 위의 마물 퇴치 결계가 효과가 있나 보네.”

어느샌가 루루를 데리고 내려온 아리사가 내 마음을 읽은 것처럼 의문에 대답해 주었다.

“결계라니, 그냥 통과하던데?”

“공간마법이 아니니까. 물리적인 벽을 만드는 결계를 늘 쳐두면 마력 효율이 너무 나빠.”

용의 계곡 결계는 물리적인 저항도 있었던 것 같은데…… 아니, 그 점에 대해서는 지금은 놔두고…….

“아리사, 루루를 데리고 주점 안쪽으로 피난해라. 거기는 돌벽으로 둘러 쌓여있으니까 안전할 거야. 입구는 포치랑 타마가 지킬 테니까 안심해."

아리사에게 지시를 내리고, 숏 소드를 가지고 돌아온 포치와 타마에게 입구를 지키도록 일렀다. 리자가 가져온 천막과 탁자를 써서 바리케이드를 만들어, 만에 하나 개미가 침입했을 때를 대비했다.

"포치와 타마는 입구 수비를 부탁한다."

"네, 인 거예요!"

"주인님은~?"

"나는 리자랑 같이 여관에 다가오는 마물들을 쫓아낼게."

아직 도시 밖에서 일하고 있던 사람들이 정문으로 도망쳐 들어오고 있었다. 다친 사람도 몇 명 있는 것 같았다.

영지군 사람들이 정문 앞에 진형을 만들었다.

제나 씨가 대공계열 방어마법을 걸었지만, 사람이 너무 많아서 고생하는 것 같았다.

커다란 바구니를 등에 진, 개 수인족 노예가 달려들어온 것을 마지막으로 정문을 닫았다.

출발한다는 벨이 울린 지하철에 뛰어 드는 매너 안 좋은 승객처럼, 닫히기 직전의 정문 틈으로 개미가 몸을 끼워 넣었다.

"마물 한 마리 정도는 문으로 뭉개버려!"

위병대기소에서 기사 쏜이 위병들에게 질타하는 목소리가 들렸다.

하지만 이제 개미는 한 마리가 아니었다.

아주 약간 문을 봉쇄하는 게 늦어지는 사이에 한 마리, 또 한 마리 개미들이 차례차례 몸을 끼우더니 틈을 넓혔다. —이윽고 후속 개미들이 시내로 침입해 버렸다.

귀환한 순찰대와 제나 씨가 개미들과 맞서기 시작했다.

시내에 침입하여 하늘로 날아오르려는 개미들을 제나 씨의 「추락기류 망치(폴른 해머)」 마법으로 추락시키고, 마법에서 벗어난 개미를 릴리오 일행이 석궁(크로스보우)으로 사격했다.

제나 씨의 마법이나 석궁을 경계한 개미들은 섣불리 하늘로 날아오르지 않게 되었다.

지상전이 되면 영지군이 유리하지만, 개미들의 수가 많았다.

열 몇 마리가 영지군을 우회하여 나랑 리자에게 덤벼들었다. 물론 근처 점포에도 마찬가지였다.

"주인님, 맡겨 주십시오."

리자가 개미를 향해 흑창을 휘둘렀다. 찌르기, 후리기, 때리기— 스치기만 해도 해치울 기세로 개미를 격퇴했다.

나는 천화를 튕겨서 안뜰의 말을 노리고 저공비행하는 개미를 격추했다.

—흠. 커브가 신통찮은데.

좀 더 연구를 하면 가려진 적도 명중시킬 수 있을 것 같단 말이지.

그렇게 괜한 잔재주를 개발하고 있던 탓인지, 리자를 커버하는 게 소홀해져서 개미 몇 마리가 문전여관으로 접근하고 말았다.

“여기는 못 가는 거예요!”

“통행금지~?”

여관으로 침입하려는 몇 마리 개미 앞을 포치와 타마가 막아 섰다.

개미를 가까이서 본 여관 사람들이 비명을 질렀다.

“에~잇, 인 거예요!”

포치가 선두의 개미에게 중단에 겨눈 소검(숏 소드) 째로 돌격하여 일격에 해치웠다.

움직임이 멈춘 포치에게 좌우에서 다른 개미가 날카로운 발톱을 휘둘렀다.

“방심 금물~?”

포치의 등에 올라탄 타마가 숏 소드와 방패(버클러)로 개미의 공격을 받아냈다.

“타마, 고마워 인 거예요!”

“난쿠루나이사[#5]~?”

어째서 오키나와 사투리— 가르친 사람은 아리사밖에 없겠군.

개미가 발톱을 빼는 타이밍에 맞추어, 타마가 하늘을 날아 왼쪽 개미의 머리에 위에서 꼬치를 꿰듯 검을 내리꽂았다.

반동으로 지면에 엎드리게 된 포치가 거의 땅바닥에서부터 솟아오르며 오른쪽 개미의 턱을 꿰뚫었다.

#5 난쿠루나이사 일본 오키나와 지방의 사투리. 뜻은 「어떻게든 될 거야」. 케 세라 세라와 비슷하다.

순식간에 세 마리 개미를 쓰러뜨린 작은 전사들에게, 여관 안에서 아낌없는 찬사가 쏟아졌다.

반시간도 안 되어 문전 광장의 개미는 거의 다 퇴치되었다.

아까 포치처럼 위태로운 순간이 몇 번 있었지만, 개미가 부자연스럽게 움직임을 멈추거나, 입이나 눈에서 피를 뿜으며 멋대로 쓰러지는 현상 덕분에 헤쳐나갔다.

아마도 아리사의 정신마법이겠지. 작은 두 손으로 브이 사인을 그리는 모습이 보였다.

그보다도 나디 씨가 있는 해결사 건물 쪽에 몇 마리 개미가 침입하는 게 보였다. 나디 씨는 지하실에 숨어 있는 모양이니 괜찮을 것 같지만, 일단 구하러 가야지.

"리자, 잠시 여기를 맡긴다."

"예!"

리자는 경쾌한 대답을 증명하듯, 흑창으로 두 마리 개미를 일격에 처리했다.

나는 공격해 오는 개미를 피하면서 해결사 쪽으로 갔다.

해결사에 진입하여 밖에서 보이지 않게 되자, 스토리지에서 금속제 봉 같은 것을 꺼냈다. 메이스 같은 게 아니라 어떤 무기의 축이었던 물건이다.

발로 차도 되겠지만, 좁은 장소에서 싸우기 힘드니까 적당히 무기가 될 법한 걸 골랐다. 마법총을 쓰지 않는 것은 마물을

쓰러뜨린 흔적을 감추지 못하는 것도 있지만, 가게 안이 구멍투성이가 될 것 같아서였다.

덤벼드는 개미를 금속 봉으로 박살냈다.

〉「한손 곤봉」 스킬을 얻었다.

그러고 보니 곤봉 스킬은 없었네.

딱히 주 무기로 쓸 생각이 없어서 스킬 포인트 분배는 보류했다.

지하실로 이어지는 목제 문에 모인 두 마리 개미를 순서대로 때려죽였다.

개미 시체를 옆으로 치우자, 문이 구멍투성이였다. 꽤 위험했나 보네.

맵에 보이는 스테이터스로 괜찮다는 건 알고 있지만, 나디 씨에게 말을 걸어서 안심시켰다.

“나디 씨, 괜찮으세요?”

“아, 네. 괜찮아요!”

지하실 계단이 개미가 토해낸 산으로 노랗게 변해 있었다. 유감이지만 산을 중화할만한 약이 없었다.

금화를 깔면 산에 녹지 않을 것 같지만, 그건 최종수단이었다.

일단 스토리지 안에 있는 바위라도 부숴서 계단에 깔아 볼까……?

그것을 실행에 옮기기 전에 가녀린 사람이 실내로 뛰어 들었다.

"나디!"

"점장님!"

한 소년이었다. 긴 녹색 머리칼을 쿵푸 영화 주인공처럼 한 줄기로 땋아서 묶고, 검소한 튜닉과 바지를 입고 있었다. 다른 사람과 다른 점은 끝이 조금 뾰족한 별난 형태의 모자를 쓰고 있었다.

"■■■ ■■■ ■■ 넝쿨 조작(아이비 컨트롤)."

그가 마법을 사용하자. 실내에 있던 관엽식물 넝쿨이 촉수처럼 꿈틀거리며 지하실로 뻗어갔다.

잠시 지나자, 넝쿨이 나디 씨의 몸통을 휘감아서 운반해 왔다.

근사하군. 실로 판타지다운 마법이었다.

"고맙습니다, 사토 씨! 그리고 점장님도."

"나는 덤인가?"

"아니에요. 정말 감사해요."

나디 씨는 말수 적은 소년과 내 볼에 감사의 키스를 했다.

"누구지?"

"임대주택 찾기를 의뢰한 분이고 생명의 은인이요. 사토 씨가 안 왔으면 점장님이 오기 전에 개미한테 먹혀 버렸을 테니까요.”

“감사.”

소년이 빙글 돌아 보더니 정말로 감사하는 건지 의심스러운 간결한 인사를 했다.

AR표시로 본 그의 정보에 놀라움을 감추지 못했다.

그는 판타지 세계 제일의 유명 종족— 엘프였으니까.

◆

“무슨 일 있나요? 사토 씨.”

“에, 아뇨. 녹색 머리칼인 분은 처음 봤거든요.”

엘프라고 말할뻔했지만 직전에 머리칼 색으로 얼버무렸다.

“아아 점장님은 숲의 요정 엘프에요. 굉장하죠?”

“엘프인가요? 그 귀가 긴 종족인?”

“음, 아니다.”

내 말에 점장이 어린애처럼 삐쳐서 고개를 돌렸다.

어른스럽지 못한 태도였지만, 점장의 연령은 280세였다.

그의 이름은 유사라트야 보르에난. 나중에 들은 얘기로는 보르에난은 가문명이 아니라 그가 사는 숲의 이름이며, 이 숲에 사는 엘프 씨족의 이름이기도 했다.

“점장님도 참— 사토 씨가 말씀하신 건 긴 귀(부치) 종족이에요. 귀가 대나뭇잎처럼 긴 종족 말이죠?”

나디 씨가 점장을 달래면서 나에게 확인했다.

그 말에 긍정했다.

“사가 제국을 건국한 초대 용사님이 긴 귀 종족을 엘프라고 부른 탓에 천 년 넘게 지난 지금도 착각하는 사람이 많아요.”

그렇군, 초대 용사도 착각했구나…….

분명히 초대 용사도 나랑 마찬가지로 「저주받은 섬」을 무대로 한 명작 판타지의 영향을 받아서, 긴 귀 종족을 엘프라고 착각했겠지.

—응? 천 년 전 인물이?

그렇게 옛 시절의 일본인이 엘프란 단어를 알 리가 없는데…….

본래 세계랑 여기는 시간 흐름이 다른가?

“그래서 엘프랑 긴 귀 종족을 착각하는 건 굉장히 실례되는 일이에요.”

“그랬었나요. 몰랐다고는 하지만 실례했습니다. 점장님. 무례를 사과하죠.”

쓴웃음 지으며 가르쳐 준 나디 씨에게 인사를 하고, 점장에게 고개를 숙여서 사죄했다.

“응, 용서한다.”

“점장님도 참. 그러면 용서한 것처럼 안 들려요.”

“맡긴다.”

말수가 적은 점장을 커버해주면서, 나디 씨가 점장의 머리카락을 걷어 올려서 그의 귀 — 보통 인간의 귀를 조금 뾰족하게 만든 형태였다 — 를 보여줬다.

점장은 나디 씨의 손을 대충 떨쳐냈지만, 딱히 기분이 상하진 않은 것 같았다.

분위기가 부드러운 걸 보니 두 사람은 연인이나 부부일 것이다.

그러면 오래 머무를 상황도 아니니까 이제 모두가 기다리는 곳으로 돌아가야지.

"그럼 나디 씨. 임대주택은 다음에 또 이야기 하죠."

"네, 오늘은 고맙습니다."

나디 씨와 점장에게 인사를 한 뒤에 그 자리를 떴다.

우리가 바깥으로 나올 무렵에는 문전의 전투가 끝나 있었다.

시내에 침입한 마물은 모두 퇴치되었고, 영지군의 병사들이나 용감한 사람들이 모여서 개미의 시체 처리를 시작하고 있었다.

"사토 씨!"

제나 씨가 날카롭게 나를 발견하고 달려왔다.

스커트 차림으로 달리는데 익숙하질 않은 건지, 내 바로 앞에서 스커트가 다리에 감겨서 휘청거렸다. 넘어지기 전에 재빨리 팔을 뻗어 제나 씨를 받쳤다.

"죄송해요."

"괜찮아요?"

내 팔에 제나 씨가 안긴 형태가 된 탓인지, 팔이 조금 행복한 상태가 되었다.

조금 더 이대로 있어도 좋겠지만, 제나 씨 호위병들의 시선이 따가워서 그녀가 바로 서는 것을 도왔다.

제나 씨 말에 따르면 영지군 및 시민들 중에 사망자는 없다고 했다.

부상자도 대부분 경상이며 경보를 듣고 달려온 신관들이 이미 치료를 시작하고 있었다.

회복마법은 전문 신관에게 맡기고, 제나 씨 일행은 이제부터 경장 기사들과 동행하여 시외의 경계 임무를 맡게 되었다고 했다.

"모처럼 휴가였는데 망쳐서 유감이네요."

"외출이 중간에 끝난 건 유감이지만, 적 탐색은 바람 마법의 특기 분야니까요. 그리고 얼른 출발해야 돼요. 주변 마을들이 공격을 받았다면 큰일이니까요!"

제나 씨 말에 따르면 근처 마을에도 마물을 막는 결계주(結界柱)라는 방위 시스템은 있지만, 세류 시의 시벽 결계 정도로 고성능이 아니라고 했다.

경장 기사들과 함께 출발하는 제나 씨 일행을 배웅했다. 제나 씨 말고 다른 마법병도 동원되었는지, 그 밖에도 몇 개의 부대가 출발했다.

문전여관 앞에서 리자가 부르길래 그쪽으로 갔다. 옆에 병사 같은 남자가 있었다.

"당신이 이 녀석 주인인가?"

"네. 사토라고 합니다."

남자의 물음에 대답하면서, 리자가 건네는 주머니를 받았다.

안을 확인하니 내용물은 큰 날개 개미의 마핵(코어)이었다.

"마핵은 영지 정부가 사들이는 것이 규칙이다. 이리 주게."

"그건 상관없지만 부상자의 치료나 뒤처리가 먼저 아닌가요?'

"그건 다른 사람 일이다.

괜히 성급하게 구는 남자에게 의문을 품으면서, AR표시로 스테이터스를 확인했다. 영지군의 출납과 사람이군. 남자는 나한테서 주머니를 낚아채듯이 빼앗아 병사들 쪽으로 걸어갔다.

정산은커녕 마핵의 개수도 확인 안 하고, 한술 더 떠서 내 이름도 안 물어보다니. 의심이 지나친 건지도 모르지만 떼어먹을 셈이라고 생각해도 이상하지 않은 짓이지.

"기다리세요."

"뭐지?"

내가 불러 세우자, 시선만 옆으로 돌렸다.

그 남자에게 이쪽의 주장을 딱 잘라 전했다.

"수취증명서를 발행해 주세요. 이 종이에 마핵의 개수와 개

당 금액, 그리고 당신 소속과 이름을 부탁드립니다."

가지고 있는 자산을 생각하면 마핵의 대금 따위 아무래도 좋지만, 우리 애들이 열심히 노력한 성과를 타인이 채어가는 건 마음에 안 들었다.

"뭐라고? 내가 빼돌리기라도 한다는 거냐?"

"상인은 조심성이 많은 법이죠. 상대가 설령 성자나 용사라도 구두 약속이 아니라 서류를 청구합니다."

물론 후반은 나오는 대로 지껄인 거다. 「사기」 스킬이 너무 뛰어나서 무섭네.

남자는 입 속으로 한 번 신음한 다음, 내가 내민 종이에 잉크로 단숨에 써 내려갔다. 시세 이하의 가격을 쓰려고 하길래, 땅에 계산식을 써서 「계산 실수」를 지적하여 수정시켰다.

"이거면 되겠지? 이 욕심 많은 상인놈!"

굉장히 심한 말이지만, 신경 쓰지 않고 문서를 받았다. 영지 정부의 관청에 가면 환금해준다고 한다.

남자가 인장이 달린 반지를 끼고 있는데 서류에 날인하지 않는 것을 깨닫고 확인했다. 전에 증명서나 리자의 창을 맡겼을 때는 증서에 사인은 물론 날인도 했었다.

"날인은 안 하나요?"

"잊고 있었다."

남자는 내 지적에 불쾌한 듯 얼굴을 찡그리더니, 내 손에서 서류를 낚아채듯이 빼앗아 난폭하게 날인했다.

"이거면 되겠지?!"

그밖에는 잔꾀를 부린 건 없길래 이번에야말로 서류를 받아서 품에 넣었다.

남자는 용돈벌이에 실패한 탓인지 불평을 중얼거리면서 떠났다.

저놈 조만간 횡령이나 사기로 직장에서 짤릴 것 같은데.

〉「산술」 스킬을 얻었다.

〉「위압」 스킬을 얻었다.

〉칭호 「새내기 상인」을 얻었다.

〉칭호 「회색의 상인」을 얻었다.

로그를 보니 칭호와 스킬이 늘었다.

내가 대체 언제 위압을 했다는 건지, 스킬 시스템을 통괄하는 존재에게 따지고 싶은 마음이 한껏 들었다.

◆

해가 질 무렵에는 사람들도 차분함을 되찾았다.

그 싸움에서 처음에 우리 애들이 해치운 큰 날개 개미는 조금 전에 문전여관에 도착한 짐마차에 숨어들었다고 한다.

위병이 체크할 때 발견되지 않았다는 게 신기했지만, 짐마차 뒤에 순찰대가 돌아왔다고 했으니 가볍게 체크하다가 통과시켰을지도 모르겠다. 뭐든 익숙해지면 방심하게 된다니까.

“굉장한 애들이야. 이렇게 조그마한데 마물들한테서 여관을 지켜줬다니까.”

마담이 인사를 하자 포치와 타마가 쑥스러워했다.

여관에 마물이 다가오지 못하게 막은 건 오히려 리자인데…….

그녀는 공을 뽐낼 생각이 없나 보다.

나중에 그 빨간 깃발의 맛있는 꼬치구이를 사다가 보답해줘야지.

“여기면 되나?”

“조금 더 오른쪽이야. 그래, 거기는 바람도 안 불고 마차가 다닐 때 먼지도 안 나네.”

주인아저씨가 안뜰까지 가지고 온 테이블 위치를 마담이 조정했다.

뒷문으로 주방에 돌아간 아저씨가 마사와 함께 요리를 운반해 왔다.

“다른 손님들이 있으니 아인을 방에 묵게 해줄 수는 없지만, 보답을 안 할 수는 없지. 하다못해 우리 남편이 실력을 발휘한 요리라도 대접해 줄게.”

전에 먹은 키슈나 야채 스튜. 그리고 무슨 작은 동물 통구이까지 딸려왔다. AR표시로 보니 「짧은 귀 토끼 통구이」라고 표시됐다. 그 밖에도 매쉬드 포테이토가 큰 접시에 산더미처럼 담겨있었다. 긴 접시에는 봉 모양의 작은 크로켓 같은 요리가 죽 놓여 있었다.

"냄새 좋네."

"행복한 냄새인 거예요."

"배고파~?"

"조금만 기다리도록 해요."

테이블에 요리를 놓는데 방해되지 않도록, 조금 떨어진 곳에서 황홀하게 요리를 보고 있는 네 사람의 모습을 보니 흐뭇해졌다.

"사토 씨, 사왔어요."

"고맙다. 유니."

바구니에 과일을 한 가득 사온 유니에게 과일 하나와 천화 몇 닢을 심부름 값으로 주었다.

이 과일은 루루의 식사다. 본래 몸이 안 좋았던 데다가 날개개미의 습격에 충격을 받고 빈혈을 일으켰는지 내 옆에서 파란 얼굴로 축 처져 있었다.

방금 전까지는 아리사가 간호하고 있었지만, 그녀는 식욕에 이끌려 테이블 쪽으로 가버렸다.

무슨 약이라도 있으면 좋겠는데……. 식사를 마친 뒤에 서쪽 거리의 연금술 가게나 약국을 둘러보면서 찾아봐야지.

—그리고, 식사는 대단히 맛있었습니다.

생쥐 공주님

"사토입니다. 학생 시절에는 장르를 불문하고 여러 가지 책을 읽었습니다만, 미스터리의 범인 맞추기에 성공한 적은 없어요. 항상 상황을 잘못 해석한단 말이죠."

"젊은 나리, 또 오셔야 돼요."

"그래, 꼭 다시 올게."

창관 앞에서 섹시한 누님의 영업 토크에 인사치레로 답하고 밤거리를 걸었다.

아리사와 루루를 재우고 서쪽 거리에 진통제를 사러 온 건데, 미궁에서 구해준 상인들에게 술을 얻어 마신 끝에 그들이 자주 가는 창관까지 가게 되었다.

여러 가지 행위를 한 덕분에 「유혹」, 「베갯머리 송사」, 「성 테크닉」, 「신체 교정」 스킬을 얻었다. 칭호도 여러모로 늘어났지만 생략한다.

함께 온 상인들은 상당히 많이 마셨으니까 지금쯤 누님들이랑 같이 꿈나라로 갔겠지.

뭐, 즐거웠으니까 괜찮지만 이대로 돌아가면 향수 냄새 때문에 아리사한테 사실을 들킬 것 같았다.

창관 앞에서 서쪽 길로 이어지는 골목을 나아가자 짧은 지팡이를 든 주술사 소녀가 길거리 창부들에게 생활마법을 걸어주고 있길래, 나도 세정과 건조마법을 걸어달라고 했다. 야간요금이라서 조금 비싸긴 했지만 땀도 씻어내서 산뜻해 졌으니 이 정도면 싼 거지.

이 근처는 북쪽 장인 거리가 가까우니까 가능하다면 마차를 쓰고 싶었지만, 이 시간대에는 전세 마차 말고는 영업을 안 하는 모양인지 한 대도 없었다.

어쩔 수 없이 밤의 서쪽 길을 걸었다.

서쪽 길은 큰 길과 마찬가지로 목제 가로등이 같은 간격으로 서 있었다. 전구가 달린 게 아니라 상점가가 고용한 주술사들이 생활마법 「조명(램프)」 마법으로 밝힌다고 한다.

이 마법의 효과시간이 두 시간쯤 되기 때문에 그 단위마다 「밤 1각」, 「밤 2각」, 「밤 종각」이라고 불렸다.

밤 종각에는 가로등을 하나씩 건너서 밝힌다고 했다.

지금은 「밤 2각」이라서 모든 가로등이 밝혀져 있지만, 일본의 상점가 가로등과 비교하면 훨씬 어두웠다. 촛불로 밝히는 등롱과 비슷한 밝기였다.

가로등 아래에서 노출이 높은 옷을 입은 길거리 창부들이 유혹해 온다.

너무 어린 소녀들이 없는 건 좋은데, 하룻밤에 동화 한 닢이라는 가격은 너무 싸지 않나?

이미 한 번 일을 치른 참이라서 그녀들의 기대에 응할 생각은 없었다. 그렇지 않더라도 그녀들 머리 위에 AR표시로 「상태이상: 병/성병【잠복】」이라고 나와 있는 게 너무나 신경 쓰였다.

개중에는 「상태이상: 병/성병【발병】」도 있었다.

—그래. 피임기구는 중요한 거야.

돌아가는 길에 발견한 약국에서 루루에게 먹일 두통약을 샀다.

시세의 10배 가격을 부르길래 흥정을 했더니 이번에는 기한이 지나서 효과가 낮은 약을 내놓길래, 그것을 지적하여 제대로 된 약으로 교환했다.

법이 제대로 제정된 일본을 그립게 생각하면서 로그를 확인했더니, 어째선가 「감정」 스킬이 생겼다.

감정한 건 내가 아니라 메뉴의 AR표시인데…….

무슨 도움이 될지도 모르니까 스킬 포인트를 분배했다.

길을 걷는 동안에 「밤 종각」이 되었는지, 가로등불이 하나 건너씩 사라졌다.

거리의 잡음에 섞여서 날갯짓 소리가 들린 것 같아 어둠을 올려다보았다.

모습은 안 보이는데 떨어진 깃털 하나를 감정해서 정체를 알았다. 감정해 보니 「그림자 올빼미(섀도우 아울)」라는 올빼미의 한 종류인가 보다.

어쩐지 밤이 깊었는데도 날아다니더라.

나는 뜻밖에 어엿한 깃털을 가로등 불에 비쳐본 다음에, 포치와 타마에게 선물로 주려고 스토리지에 넣었다.

밤이 늦어서 그런지 길에는 사람이 점점 드물어졌다.

그런 환경이라서인지 엿듣기 스킬 덕분인지는 모르겠지만, 미약하게 금속끼리 부딪히는 소리가 들렸다.

발길을 멈추고 귀를 기울여 들어보니 건너편 길에서 누군가 싸우는 소리 같았다.

딱히 오지랖이 넓은 건 아니지만, 그대로 놔뒀다가 다음날 아침에 「사람이 살해당했다」는 소문 같은 걸 들으면 풀이 죽을 것이다.

주정뱅이들 싸움이라면 방치하고, 강도라면 나쁜 놈을 처리해야지.

그렇게 결심하고 가로등이 없는 어두컴컴한 뒷골목에 발을 들였다. 여기는 분명히 낮에 왔던 저택 근처였다. 지하에 범죄 길드의 소굴이 있으니 조직 안에서 항쟁이라도 하는 건가?

달빛이 골목에 그림자를 만들었다.

눈에 힘을 주자, 어둠 너머에서 키가 작은 어린애를 여러 명이 둘러싸고 공격하는 것이 보였다.

그러고 보니 전에 「밝은 눈」 스킬을 얻었다는 것을 떠올리고, 스킬 포인트를 분배하여 스킬을 유효화(액티베이트)했다.

어두운 골목의 휘도를 올린 것처럼 사람이나 물건의 윤곽이 떠올랐다.

암시 장치(스타라이트 스코프)로 보는 광경과 비슷했다.

주위에 다른 사람은 없었다. 근처 벽에 세워둔 목재를 쓰러뜨려서 커다란 소리를 내봤다.

이걸로 도망쳐 준다면 좋았겠지만, 둘러싸고 있는 녀석들 중에서 둘이 미끄러지듯 이쪽으로 접근했다.

—그것은 그림자였다.

사람의 형태를 한 그림자라는 표현밖에 할 수 없는 존재가 접근했다. 머리 위에 AR표시로 정보가 나열되었다.

이름은 「기어 오는 그림자(섀도우 스토커)」. 레벨 11의 마물이었다. 겉보기로도 알 수 있듯이 물리공격은 통하지 않는가 보다.

도시에 있는 마물 퇴치결계를 넘어온 건지 미궁에서 솟아나온 건지는 모르겠지만, 상대가 마물이라면 봐주지 않아도 된다.

스토리지에서 꺼낸 마법총으로 그림자를 향해 방아쇠를 당겼다.

상대가 피하는 것을 예상하고 연사를 했는데, 그림자가 생각보다 둔한 건지, 아니면 자기 특성에 자신이 있는 건지 피하지도 않고 마력 탄환을 맞았다. 그림자가 흩어지고, 빨간 마핵이 땅에 떨어졌다.

하나를 처리하는 동안 또 하나의 접근을 허용해 버렸다.

그림자는 나를 향해서 검은 칼날을 휘둘렀다. 이 칼날도 그림자인지 정면에서는 거의 보이지 않았다.

옆으로 미끄러지면서, 「회피」 스킬의 감각에 따라 칼날을 피했다.

아까 등지고 있던 목재들이 베이는 소리가 들렸다.

서로 위치를 교환하는 움직임을 취한 덕분에 나 대신 잘린 목재들의 예리한 단면이 보였다.

저거에 베이는 건 사양하고 싶네. 「자기 치유」 스킬이 있으니까 다쳐도 제멋대로 낫겠지만, 절단된 팔이 다시 붙는지 시험해보고 싶은 생각은 없었다.

상대가 자세를 바꾸기 전에 쓰러뜨리려고 총을 겨누었다.

—으억?!

인간은 불가능한 움직임으로, 그림자의 팔이 관절과 반대방향으로 꺾이며 공격해왔다.

그것을 간발의 차이로 피했다.

그대로 땅바닥에 쓰러지면서 마법총을 연사해 그림자를 처리했다.

후우, 상대가 인간이 아니란 걸 잊고 있었네…….

가볍게 볼을 때려서 이완된 정신을 긴장시켰다.

얼른 안 구하면 어린애가 그림자에게 살해당한다.

어린애는 때때로 붉은 빛을 흘리는 손도끼 같은 무기로, 그림자 셋을 견제하면서 다가오지 못하게 하고 있었다.

상당한 실력자였지만 등 뒤에 있는 뭔가를 지키고 있는 탓인지 움직임이 좋지 않았고, 가끔 그림자가 휘두르는 채찍처럼 휘는 검이 어린애를 스치며 상처를 입히고 있었다.

나는 어린애가 맞지 않도록 겨냥해서 두 그림자를 마법총으로 저격했다. 이번에는 위력 게이지를 최대로 올렸기 때문에 첫 번째 그림자를 일격으로 처리할 수 있었다.

하지만 위력을 강하게 올린 대신 연사 간격이 조금 길어졌기 때문에 멀리서 저격하여 모두 처리한다는 계획이 틀어져 버렸다.

이쪽을 눈치챈 그림자 하나가 다가왔다. 신경 쓰지 않고 쏘려고 했지만, 접근하면서 분열하더니 다수의 그림자 화살로 변해 공격해 왔다.

좁은 골목에서는 피할만한 공간이 없었다.

—옆으로는 피할 곳이 없지.

나는 벽을 차고 공중으로 도망쳤다.

화살이 궤도를 바꾸어 쫓아왔지만, 좌우의 벽을 연속으로 차서 그것을 피했다.

눈이 돌아갈 것 같은 움직임이었지만, 「입체 기동」 스킬이 지원해주기 때문에 세반고리관이 비명을 지르지 않고 다 피할 수 있었다.

그림자 화살이 다시 합체하여 사람 모양이 되었을 때 마법총으로 쏴서 처리했다.

텅, 묵직한 소리가 뒷골목에 울렸다.

—아차.

출혈로 움직임이 둔해진 어린애가 그림자의 공격을 피해내지 못했는지, 돌 벽에 부딪혔다.

재빨리 체력을 확인했다. —괜찮다. 아직 안 죽었다.

그림자가 체형을 검은 구체로 변형해서 어린애를 공격했나 보다. 채찍 같은 선의 공격은 모두 비껴내니까 면의 공격으로 바꾼 건가?

구체의 중앙이 살짝 찢어져 있었다. 거기에 어린애가 가지고 있던 손도끼의 자루가 보였다. 물리공격은 효과가 없을 텐데 — 아아 마법 무기구나.

땅바닥을 파헤치듯 단단히 디디고, 격투게임 캐릭터처럼 땅바닥에 닿을 듯 낮게 움직여서 거리를 좁혔다.

불과 세 걸음 만에 그림자의 정면에 도착하여, 앞차기로 손도끼의 자루를 발바닥으로 밀어내듯 구체 안쪽으로 쑤셔 넣었다.

뭔가 부서지는 가벼운 감촉 직후에 그림자가 흩어지더니, 부서진 마핵 조각이 땅에 떨어졌다. 아무데나 굴러가는 파편을 무시하고서 마법의 손도끼만 회수했다.

그보다도 어린애의 상태를 확인해야지.

어린애는 실이 끊어진 꼭두각시 같은 모습으로 벽에 쓰러져 있었다.

아니, AR표시에 따르면 어린애라는 건 착각이었다.

나는 곁으로 달려가 후드를 벗기고 얼굴을 확인했다. 몰랐으면 비명을 질렀을지도 모른다.

붉은 투구를 쓴 얼굴은 회색 털로 뒤덮인 쥐였다. 쥐의 얼굴인데도 냉혹한 남자다운 생김새였다.

그는 회색 쥐 수인족의 기병이었다. 내장을 다쳤는지, 기침을 하자 입에서 검붉은 액체가 흘러나왔다. 상태가 「중상【내장 손상】」인 탓인지, 체력 게이지가 지속적으로 감소하고 있었다.

"……누구다?"

간신히 눈을 뜬 랫맨이 알아듣기 어려운 목소리로 질문했다.

"크으, 네놈은 놉의 앞잡이다아?"

"아니야."

랫맨이 말하는 놈이 누구인지는 몰라도, 즉시 부정했다. 아마도 아까 싸운 그림자를 보낸 놈이겠지.

그가 지키고 있던 천 주머니 안에 또 한 사람 있었다. 레이더의 광점이 가르쳐 주었다. 천에 싸인 인물은 의식이 없는지 꼼짝도 하지 않았다.

랫맨과 이야기하면서, 천 위에 떠오른 AR표시를 읽었다. 뜻밖의 내용이라 조금 놀랐다.

"다는, 이제 들렸오. 코, 콩주를 부닥아오."

"알았어. 나한테 맡겨."

내가 간단히 수락하자 긴장이 풀렸는지, 랫맨이 정신을 잃었다.

물론 가볍게 수락한 이유가 있었다. 그가 공주 — 그의 발음은 콩주라고 들렸다 — 라고 부른 존재를 아는 사람이 짐작되었기 때문이다.

그러면 움직여야한다. 이러고 있는 지금도 그의 체력이 서서히 줄어들고 있었다.

스토리지에서 꺼낸 천으로 외상을 지혈했다.

〉「응급처치」 스킬을 얻었다.

〉칭호 「응급 구조사」를 얻었다.

여전히 편리하게 스킬이 생기길래, 재빨리 스킬 포인트를 분배해서 유효화(한 다음 응급처치를 했다.

피 냄새와 짐승 냄새에 눈썹을 찌푸리면서도 응급처치를 행했다.

좋아, 체력이 감소하는 건 멎었다.

나는 어둠에 섞일 수 있도록 후드가 달린 검은 외투를 스토리지에서 꺼내 걸쳤다.

후드를 깊숙하게 눌러쓰고, 긴 타월을 꺼내 머플러처럼 입가에 감았다. 만약을 위해서 교류란의 이름을 지워서 비워두었다.

이러면 신원 은폐는 완벽하다.

은 가면은 달빛을 반사하면 눈에 띌 것 같아서 이번에는 쓰지 않았다.

나는 공주와 랫맨을 한꺼번에 끌어안고, 돌 벽을 차면서 지붕 위로 올라갔다. 그대로 지붕 위를 괴도처럼 달려 해결사 건물의 뒷문에 도착했다.

문을 가볍게 노크했다.

맵으로 확인했지만, 유감스럽지만 점장과 나디 씨 모두 상태 표시가 「수면」이었다.

두 사람은 해결사 건물 2층에 살고 있는 모양인데, 방이 달랐다. 연인이나 부부가 아닌가 보네.

너무 큰 소리를 내서 위병들이 몰려오면 곤란하니까, 스토리지에서 꺼낸 철사로 문을 열었다. 보물상자 열기 스킬을 응용할 수 있나 보다.

〉「자물쇠 따기」 스킬을 얻었다.
〉칭호 「자물쇠 돌파자」를 얻었다.

안으로 들어가서 조금 딱딱한 소파에 두 사람을 눕혔다.

랫맨의 투구가 소파의 나무틀에 부딪혀 메마른 소리를 냈다.

—오, 점장이 깼다.

상태 표시가 「수면」에서 「없음」으로 바뀌었다. 나디 씨를 깨우려고 조용히 이동하기 시작했다.

"저, 점장님? 보, 보쌈하시게요?"

"아니다."

엿듣기 스킬이 2층의 상태를 알려주었다. 어쩐지 나디 씨의 목소리는 기쁜 것 같았다.

나디 씨를 등 뒤에 두고서 점장이 계단을 내려왔다.

수상한 놈으로 착각하고 공격해 오면 곤란하니까 이쪽에서 말을 걸었다.

"안녕하세요? 실례합니다. 나디 씨. 사토입니다."

"어, 사토 씨? 이런 밤늦게 무슨 용건이시죠?"

나디 씨가 수상하단 목소리로 물었다. 뭐 어쩔 수 없지.

"점장님의 지인을 데리고 왔어요. 상처가 심각해서 급히 치료를 했으면 하는데요……."

"지인?"

지인이 중상이라는 말을 들은 점장과 나디 씨가 계단에서 나왔다.

"■■■■ 마등(마나 라이트)."

점장이 긴 지팡이를 휘둘러서 마법을 읊었다. LED 비슷하게 빛나네.

"이건 랫맨? 이 붉은 투구는 분명히 현상범인 「붉은 투구」라는 유명한 쥐 수인족의 기병인데요."

"모른다."

점장이 붉은 투구를 보고 부정하는 말을 했다. 나는 그의 착각을 정정해 주었다.

"점장님 지인은 이 천 주머니 안에 있어요. 붉은 투구는 『공주』라고 부르던데요."

"랫맨의 공주님이요? 랫맨의 부족에서는 족장이랑 전사 말고는 존칭을 하지 않을 텐데요……."

랫맨은 전투종족인가? 나디 씨는 생각보다 박식하네.

그런 생각을 하면서 천을 풀어 안을 보여줬다.

"—미아."

붉은 투구가 지키던 「공주」는 예상대로 점장의 지인이었다.

"앗?!"

뒤에서 들여다 본 나디 씨가 굳어 버렸다. 그 심정 이해합니다.

왜냐하면, 천 주머니 안에서 나타난 것이 하얀 피부에 엷은 **청록색**의 긴 머리칼, 그리고 **뾰족한 귀**를 가진 소녀였으니까.

"엘프잖아요!"

나디 씨가 놀라서 소리쳤다.

맞다. 그녀가 엘프이기 때문에 이 도시에서 유일한 엘프인 점장한테 데리고 온 것이다.

그리고 두 사람의 성이 똑같은 보르에난이었고 말이지.

나디 씨의 목소리로 의식을 되찾았는지, 미아 공주가 눈을 옮게 떴다. 그녀는 천천히 시선을 돌려 주위를 둘러보았다.

미아 공주는 얼마 동안 초점이 안 맞는 **은색** 눈동자로 나를 본 다음, 「예뻐」라고 중얼거리고 의식을 잃었다.

뭘 보고 「예뻐」라고 한 거지? 조금 신경 쓰였지만 죽어가는 붉은 투구를 얼른 어떻게 해야지.

"그리고, 이 『붉은 투구』는 어떻게 하죠? 위병한테 넘길까요?"

"은인."

"그러니까 말이죠. 미아 공주의 은인이니까 위병에게 넘기기 싫은가 봐요."

"공주 아니다."

"미아 씨는 공주가 아니라고 해요."

점장의 너무 짧은 말을 나디 씨가 해설해 주었다.

뒤에서 「쿨럭」 묵직한 기침 소리가 들렸다.

"그보다도, 얼른 치료 안 하면 죽겠는데요?"

"음?"

"큰일이네요. 길 뒤쪽에 사는 호른 전직 신관을 불러 올게요. 그는 사정이 있는 사람도 치료 해줄 테니까요. 지혈은 된 것 같으니까 점장님이 마법으로 기도를 확보해 주세요. 그 눈에 띄는 투구도 벗겨서 숨겨 두세요."

내 말을 들은 나디 씨가 황급히 행동하기 시작했다. 1층 벽에 걸린 외투를 붙잡아 잠옷 위에 걸치고 가게를 나섰다.

"밤길을 혼자 다니면 위험해요. 저도 같이 가죠."

점장이 주문 영창을 시작한 것을 확인하고 나디 씨 뒤를 쫓았다.

◆

다음날 아침, 어째선가 아리사에게 들켰다.

"아이참! 어째서 내가 있는데 창관에 가는 거야! 이런 미소녀가 언제든지 웰컴 상태인데 뭐가 불만이야!"

"진정해."

초등학생쯤 되는 소녀를 성욕의 대상으로 보면 어떡하냐?

잠옷을 벗고서 콧김을 거칠게 뿜으며 달려드는 아리사에게, 침대 위에 둔 내 외투를 덮어 씌웠다.

"오오, 쇼타의 **하앙기**가……."

변태다.

"악! 짐승 냄새!"

외투의 냄새를 맡기 시작한 아리사가 비명을 지르며 외투를 내던졌다.

"설마, 털이 있어야 좋은 거야?"

아리사가 기겁하면서 영문 모를 소리를 지껄였다.

무슨 생각을 하는지 상상은 되지만 너무 실례 아니냐?

"어젯밤에, **루루 먹일 약**을 사러 갔다가 오는 길에 위기에 빠진 수인을 구했다.”

화제를 바꾸기 위해서, 더더욱「루루 먹일 약」을 강조했다.

“흐~응? 여자야?”

“아니, 냉정하게 생긴 아저씨야.”

“이거슨 BL? BL이네! 도라×헤비처럼 근육질 호랑이 귀 아저씨가 토끼 귀 소년을 쓰러뜨리는 전개구나! 크으, 용솟음친다아!”

“바보 같은 소리 그만하고, 얼른 옷이나 입어.『명령』이다.”

정말이지 보이즈러브 같은 전개는 사양한다고.

너무 떠들어댔는지, 잠들어 있던 루루가 눈을 떴다. 아직 낯빛이 좋지 않았다.

“기분은 어떻지?”

“네. 어제보다는 상당히 나아졌어요.”

“약을 사왔으니까 많이 아프면 먹어라.”

나는 어제 사온 진통제 꾸러미를 루루에게 건네고, 약국에서 들은 주의사항을 전했다. 이런 약치고는 드물게도, 식사 전이나 식사 중간에 먹는다고 한다.

“그렇지. 아리사.”

“왜?”

루루에게 약 포장을 풀어 컵에 든 물과 함께 건네면서 어제 말하지 못했던 미궁 이야기를 했다.

“에~이. 세류 시의 미궁에는 일반인이 못 들어가?”

"그래. 당분간 무리랜다."

유감스러운 듯 침대 위에서 무릎을 모으고 앉은 아리사를 적당히 달랬다.

"주인님은 이 도시에 정착할 생각이야?"

"아니. 이 도시 관광이 끝나면 남쪽 공도로 갈 생각이야."

"관광?!"

벌써 세류 시의 관광은 거의 끝났지만, 제나 씨랑 내벽 너머의 레스토랑에 가겠다고 한 약속이 남아 있단 말이지.

그 다음에 아인 소녀들도 평범하게 살 수 있는 공도나 미궁도시 세리빌라까지 갈 생각이었다.

다음 목적지가 공도인 이유는 예쁘다고 소문이 자자한 대하의 야경을 보고 싶어서다.

"그럼 말야. 그럼 말야."

아리사가 쭉 다가왔다.

"나, 공도 다음에는 미궁도시에 가고 싶어!"

"그래, 그것도 좋겠네."

"정말?! 약속이야!"

새끼 손가락을 내미는 아리사와 손가락 걸고 약속을 나누었다.

손가락 걸기를 한 새끼 손가락을 보면서 「에헤헤」 웃는 아리사를 재촉하여, 아침 식사를 하기 위해 마구간의 아인 소녀들을 찾아갔다.

아인 소녀들에게도 공도나 미궁도시 이야기는 해둬야지.

나는 다 함께 아침식사를 한 다음 혼자서 해결사로 찾아갔다.

"안녕하세요? 상태는 어때요?"

"네 둘 다 잠들어 있어요."

조금 졸려 보이는 나디 씨가 두 사람의 상태를 가르쳐 주었다.

붉은 투구는 호른 전직 신관이 치료했지만, 그가 하급 신성 마법밖에 못 쓰기 때문에 완치되지는 않았다.

출혈은 멎었다고 하는데, 내장의 상처는 중급 이상의 신성 마법이 아니면 조금밖에 치료하지 못한다고 했다.

어라? 그러고 보니 점장도 「술리(術理) 마법」이랑 「숲 마법」이라는 두 종류 마법을 쓸 수 있을 텐데, 회복은 못 하나?

의문이 들어서 나디 씨에게 물어보았다.

"점장님 마법은 치료에는 적합하질 않아요. 지혈이나 소독이 고작이라고 했어요."

애당초 점장이 회복시킬 수 있다면 밤중에 호른 전직 신관을 부르러 가지 않았겠지…….

"마법약 같은 걸로는 치료 할 수 없나요?"

"중급 마법약이라면 치료할 수 있지만, 너무 비싸서 손을 댈 수 없어요."

내가 미궁에서 입수한 마법약은 모두 양도해 버려서 남은 게 없었다.

도와주는 김에 약값을 내줘도 되겠지만, 그건 너무 오지랖 같았다.

"약은 괜찮아요. 점장님이 아는 사람이랑 교섭해서, 재료를 준비하면 값싸게 조합해주기로 했어요."

나디 씨가 말문이 막힌 나를 보고 착각을 했는지, 이렇게 말을 해주었다.

점장은 그 재료를 채취하려고 아침 일찍부터 조금 먼 산림으로 향했다고 한다.

붉은 투구는 점장이 해결 할 수 있을 것 같아서, 다음으로 미아의 용태를 물었다.

"분명히 외상은 없는데, 공주님의 의식이 안 돌아오는 건가요?"

"미아는 상처는 없지만, 피로가 심해서 쇠약해진 상태예요. 점장님 말로는 긴 시간동안 마력 결핍 상태가 이어졌을 때의 증상이랑 비슷하다고 해요."

마력 결핍이라…… 내 쓸데없이 남아도는 마력을 넘겨줄 수 있으면 좋은데…….

그건 그렇고 왜 그렇게 쇠약해진 거지?

"이런 증상은 점장님이 쓰는 술리 마법『마력 양도(마나 트랜스퍼)』나 숲 마법의『정신력 충전(스태미나 차지)』같은 걸로 치료할 수 있어야 하는데……."

어째선가 마법으로 마력이나 스태미나를 보충해도 밑 빠진 독에 물을 붓는 것처럼 빠져나가 버린다고 한다.

오랜 세월을 살아온 점장이나 박식한 나디 씨도 이유를 알 수 없었다.

맵으로 미아의 스테이터스를 확인했다.

연령이 130세. 여성. 레벨 7. 스킬은 「물 마법」, 「활」 두 가지고, 기프트는 「정령시」. 칭호는 「요람의 주인(크레이들 마스터)」, 「보르에난 숲의 어린 아이」가 있었다.

칭호에 「어린 아이」나 「요람」이 있는 것으로 추측하건대, 엘프의 130세는 아직 어린 거겠지. 초등학생 같은 겉모습을 봐서는 상상하기 어려운 실제 연령이었다.

미아는 애칭인 모양이고, 본명은 「미사날리아 보르에난」이란 이름이었다.

미사날리아라면 애칭은 미사나 리아가 아닐까 싶은데, 미아라고 줄이는 건 엘프의 관습인가?

저주나 질병 같은 상태이상이 있는 것도 아니고, 칭호도 딱히 이상한 건 없다. 「요람의 주인」이니까 계속 잠들어 있는 건 아니겠지.

보아하니 스태미나는 10%도 회복되지 않았지만, 마력은 서서히 회복되고 있는지 눈에 띄게 마력 게이지가 차오르고 있었다.

점장이 취한 조치가 이제야 효과를 발휘하는 거 아닐까?

나디 씨에게 전하고 싶었지만, 조사 방법을 설명할 수가 없었다. 적당한 화제를 꺼내서 유도할 수 있나 시도해봐야지.

"치료 마법 말고 다른 방법은 없나요?"

"미아도 마력 회복의(마나 포션) 마법약이 있으면 치료할 수 있지만, 이것도 비싸서요."

나디 씨가 「다 가난한 게 죄」라는 듯 메마른 웃음을 지었다.

"돈을 들이지 않아도 마소(魔素)(마나)가 짙은 지맥이나 원천에 데리고 가면 회복할 거라고 생각하는데, 이 근처는 백작님의 성 안쪽이나 『용의 계곡』밖에 없어요."

그렇군. ―「원천」이라고?

나디 씨에게 「원천」에 대해서 질문하려고 했는데, 2층에서 소리가 들려 나중으로 미뤘다.

소리가 난 방향이 미아가 누워 있는 방이라서 맵으로 확인해 봤다. 미아의 상태가 「혼절」에서 「없음」으로 바뀌었다.

나디 씨한테는 안 들린 것 같아서 얘기해줬다.

"2층에서 무슨 소리가 났는데 깨어난 거 아닐까요?"

"사토 씨는 엘프나 토끼 수인족처럼 귀가 밝네요."

토끼 수인족이라. 리얼 버니인가?

세류 시에는 없는 모양이지만, 꼭 한 번 보고 싶네요.

나디 씨와 함께 2층의 미아가 잠든 방을 찾았다.

나는 나디 씨가 허락할 때까지 방 밖에서 대기했다.

"미아, 깼니?"

"누구?"

"이 가게 점원인데 나디라고 해. 점장님— 유사라트야의 가게야."

"유야……."

미아의 목소리는 외견 그대로 앳된 느낌이었다. 방금 일어난 탓인지 조금 갈라지고 있었다.

"바깥, 누구?"

미아가 방 밖에서 대기하는 나를 눈치챈 모양이다.

감이 좋은 건가? —아니, 계단 올라오는 발소리가 두 사람이었으니까 그걸 들었겠지.

"너하고 붉은 투구를 구해준 사람이야—."

"미제?"

나디 씨의 말에 포개지듯, 미아가 말했다.

점장도 그렇고 미아도 그렇고, 말수가 적은 게 종족적인 특징인가?

"붉은 투구 쥐 수인족은 미제 씨구나? 그는 치료를 마치고 잠들어 있어."

"응."

올바르게는 「응급처치를 마치고」지만, 솔직하게 말해봤자 미아의 불안만 부채질하니까 그렇게 말했겠지.

나디 씨가 중단된 내 소개를 재개했다.

"그리고 바깥에 있는 사람은 사토 씨야."

"……사토."

"안에 들어와도 되니?"

"응."

나는 나디 씨 말에 따라 방으로 들어갔다.

이 방은 나디 씨 방인지, 차분한 분위기면서도 여성스러움이 넘치고 있었다.

하지만 관엽식물이 좀 많은 것 같은데.

"사토?"

"처음 뵙겠습니다. 행상인 사토라고 합니다."

미아의 물음을 긍정하면서 자기소개를 했다.

단정하고 앳된 용모에다 눈동자가 **은색**인 탓인지, 인형 같은 인상을 받았다.

"정령사?"

미아의 갑작스런 물음에 고개를 갸웃거렸다.

불 마법은 썼지만, 마법의 입문서를 읽어본 바로는 정령과는 상관 없을 텐데?

물론 섹시한 물의 정령 운디네나 요염한 숲의 정령 드라이어드라면 만나보고 싶다.

"아뇨. 정령하고는 만난 적 없어요."

"안 보여?"

미아가 굉장히 신기하단 표정을 지었다.

"정령이 보이는 건 『정령시』라는 기프트가 있는 사람들밖에 없어요."

보통 사람에게는 보이는 건가 싶어서 나디 씨에게 확인했지만 이렇게 단언했다.

미아는 그 「정령시」라는 기프트를 가지고 있었다. 점장에게는 없는 기프트니까 모든 엘프가 정령을 보는 것은 아닌가 보다.

나디 씨가 미아에게 물을 먹이는 걸 도왔다.

"뭐 먹을 수 있니?"

"응."

"그러면 수프나 보리죽이라도 만들어 올 테니까 잠깐 미아를 상대해주실 수 있을까요?"

나디 씨가 미안한 표정으로 부탁하길래 흔쾌히 승낙했다.

계단 아래서 보리죽의 소박한 향이 날 때까지 미아와 정령 이야기를 하면서 보냈다.

물론 나디 씨처럼 우수한 해설자가 없는 상황에서 미아의 짧은 말로 정령의 모든 것을 파악하기는 불가능했다.

「둥실둥실」이나 「반짝반짝」 같은 의태어가 많았지만, 몇 가지 단어를 통해 「지맥을 흐르는 마소를 매개로 속성을 가진」 존재라는 것을 추측할 수 있었다.

다른 수확으로는 「엘프어」와 「암호 해독」 스킬을 얻은 것과, 미아가 잘 따르게 된 것 정도였다.

엘프어는 「『안녕』은 엘프어로 뭐라고 하지?」라고 물어서 획득했다. 「암호 해독」은 말할 것도 없겠지.

보리죽을 다 먹은 다음, 미아가 졸린 표정을 짓기 시작했다.
"너무 오래 있어서 죄송합니다. 이제 그만 갈게요."
"으음."
내가 그렇게 말하며 침대 옆 의자에서 일어서려고 하자, 미아가 로브 자락을 꼭 붙잡았다.
"가지 마."
미아가 불안한 표정으로 애원했다.
뭐, 잠들 때까지 곁에 있어줘야겠네.

◆

"이 문자는 『의자』야—. 좋아, 열 장 획드읏!"
"뉴우~."
"아리사, 너무 강한 거예요!"
"포치, 타마, 분하다고 불평할 틈이 있으면 노력하세요."
"아리사, 강하네."
문전여관의 안뜰 구석에서 즐거운 목소리가 들렸다.
우리 애들이랑 유니가 같이 있나 보다.
안뜰에 와도 보이지 않길래 레이더를 보고 가봤더니, 수풀로 가려진 좁은 장소에 모여서 게임을 하고 있었다.
바닥에 카드를 늘어놓고 앉아서 놀고 있었다.
저건 어제 낮에 산 학습 카드네.

애들 모습을 보고 추측하건대, 문자가 적힌 면을 위로 두고서 거기 그려진 단어를 맞추면 한 장씩 가질 수 있는 룰인가 보다.

정답인지 아닌지는 뒤쪽 그림을 보면 확인할 수 있으니까 문자를 몰라도 할 수 있다는 점이 좋군.

"재밌어 보이네."

"주인님인 거예요!"

"글자~ 배웠어~?"

수풀 너머로 얼굴을 내민 나를 보고 포치와 타마가 달려왔다.

"보는 거예요!"

"세 장~?"

둘이 얻은 카드를 내밀면서 칭찬해달라는 표정으로 올려다 보았다.

"잘 하네."

두 사람의 기대에 부응하여 머리를 쓰다듬어 주면서 칭찬해 주었다.

덤으로 카드 내용을 확인했다.

"이건 무슨 카드지?"

"그건 『고기』인 거예요!"

아깝구나. 염소다.

"이쪽은 무슨 카드지?"

"그것도 『고기』~?"

아니야. 토끼다.

아마도 틀렸다는 걸 이해하고 있을 아리사에게 시선을 돌렸다.

"아아~, 자신만만하게 『고기』라고 잘라 말하니까 틀렸다고 하기가 어려워서."

아리사가 쓴웃음 지으면서 자백했다.

나는 두 사람에게 올바른 단어를 가르쳐 주었다.

"틀린 거예요? 염소지만, 고기인 거예요."

"뉴우~? 토끼지만, 고기~?"

내 말에 당혹하는 두 사람.

"그러면 이 카드도 『새 고기』가 아니라 『새』였던 겁니까?"

리자가 경악하면서 카드를 보여줬다. 「새」의 「고기」라는 걸 알고 있다면, 「고기」는 안 붙여도 되지 않느냐 말을 할 수가 없었다.

아리사의 심정을 조금 이해했다.

마음을 가다듬고, 한 장씩 올바르게 읽는 법을 가르쳐주게 되었다.

"고기는 어떤 글자인 거예요?"

"이렇게 쓰는 거야."

카드에 「고기」가 없길래 손으로 그려서 한 장 추가했다.

〉「회화」 스킬을 얻었다.

〉「베끼기」 스킬을 얻었다.

〉「유희」 스킬을 얻었다.

한 장 그렸는데 스킬이 팍팍 생기네.

덤으로 아까 포치랑 타마에게 문자를 가르칠 때 「교육」 스킬을 얻었다. 이건 쓸만할 것 같으니까 스킬 레벨 최대로 올려둬야지.

그렇지, 스킬이 될 법한 일이 생각나면 메모해뒀다가 스킬 획득 파티를 개최해보는 것도 좋겠다.

카드를 만들면서 잡담을 하다가 알았는데, 뜻밖에 아리사도 시가 국어 읽기 쓰기는 못한다고 한다.

"우리나라는 남존여비가 심했거든. 왕족들도 문자를 익힐 필요가 없다면서 가르쳐주질 않았어. 마법서 같은 책을 읽으려고 오라버니들의 수업에 숨어들어서 공용어의 읽기 쓰기만 배웠지."

아리사의 평소 언동에서는 안 느껴지지만 꽤 고생을 많이 했다.

"그러니까 이런 카드 정도는 사흘이면 기억할 수 있어!"

호언장담이 허세가 아니라, 카드 100장 중에서 벌써 30장을 기억했다고 한다.

"굉장하다. 무슨 요령이라도 있어?"

"문자를 그림으로 기억하는 거야. 흥미로운 글자부터 해보면 되지 않을까?"

아직 한 장도 못 익힌 유니가 아리사에게 요령을 물었다.

"아, 유니 여기 있었니!"

수풀을 헤치면서 마사가 나타났다. 머리카락이 수풀의 얇은 가지에 걸려서 고생하길래 떼는 걸 도와줬다.

아리사가 코평수를 늘리면서 「서향은 아니지만, 이것도 좋아!」라는 의미불명의 말을 흘렸다. 아리사가 전세에 읽은 무슨 만화 소재인가?

마사가 등장하자 유니가 어색한 태도가 되었다.

그러고 보니 유니는 일하는 중이었지.

"죄송해요, 마사 아씨."

"정말이지. 아직도 어린애구나. 자, 도와줄 테니까 낮 영업 준비 시작하기 전에 마굿간 청소랑 지푸라기 교환 해버리자."

마사는 유니를 가볍게 타이른 다음에 동생의 실수를 커버하려고 팔을 걷어붙이고 기합을 넣었다.

"저, 저기, 벌써 해버렸어요."

"엥?"

유니가 송구하다는 듯 고하면서 마사를 올려다보았다.

"사실은 포치랑 타마가 도와줬어요."

두 사람이 도와준 덕분에 평소보다 일이 빨리 끝나서 같이 놀고 있었다고 한다.

"에이~ 해서 물 길어온 거예요!"

"말 챙겨줬어~?"

두 사람이 어떻게 도왔는지 손짓 발짓으로 말해주었다.

"잘 했다."

유니를 도와준 포치와 타마의 머리를 쓰다듬어주면서 칭찬해 주었다. 타마가 손을 밀어 올릴 정도로 머리를 들이밀었다. 포치는 얌전하게 있었지만 찢어질까 걱정될 정도로 꼬리를 흔들었다.

결국 유니에게 일이 끝났으면 꼭 보고하라고 주의를 준 다음, 마사도 카드 게임을 뒤에서 구경했다.

◆

"안녕! 나는 아리사라고 해."

"포치인 거예요!"

"타마~."

어린 소녀 셋이 미아의 방 문을 열자마자 자기소개를 했다.

셋이 계단을 올라오는 소리가 무서웠는지, 미아는 이불을 머리 위까지 뒤집어쓰고 틈새로 바깥을 살피고 있었다.

점심을 먹을 때 병문안 상대가 랫맨뿐 아니라 「랫맨 기사가 지키고 있던 공주님」도 있었다고 말하자, 다들 만나고 싶다고 해서 데리고 왔다.

미아도 쓸쓸하지 않을 거고, 나디 씨도 애보기와 간호에서 해방될 테니까.

물론 아이들뿐 아니라 리자와 루루도 데리고 왔다. 두 사람은 1층에서 나디 씨를 돕고 있었다. 루루는 오늘 아침에 준 약이 효과가 있는지 점심 식사도 잘했고 혈색도 좋아졌다.

"응, 미아."

미아가 부끄러운 듯 얼굴을 눈가까지 내밀고, 너무 짧은 자기소개를 했다.

나는 수줍게 웃는 미아를 보고 놀라움을 감추지 못했다.

은색이었던 미아의 눈동자가 예쁜 에메랄드 그린으로 바뀌어 있었다.

다른 사람으로 바뀐 것도 아닐 테고, 「정령시」 같은 스킬을 쓸 때 눈동자 색이 변하는 건가?

"앗."

"공주님이에요!"

"머리 이뻐~?"

나하고는 다른 이유로, 아리사가 미아의 얼굴을 보고 말을 잃었다.

아마도 나디 씨랑 같은 착각을 했겠지. 포치랑 타마가 놀라지 않은 것은 뜻밖이었다.

"잠깐만. 생쥐 공주님 아니었어?!"

"아니야. 『랫맨 기사가 지키고 있던』 공주님이라고 했잖아?"

아리사의 착각을 정정해 주었다. 장난기가 생겨서 착각을 유도하려고 그렇게 말했었다.

하지만 이불로 가리면 「능력 감정」으로 엘프라는 걸 알 수 없나 보네. 아무래도 내 메뉴나 AR표시랑 달라서 직접 눈으로 봐야 상태를 알 수 있나 보다.

겁 없는 아리사 덕분인지, 포치랑 타마도 금세 미아랑 친해졌다.

"잠깐 내려갔다 오마. 미아의 간호는 맡긴다."

"오~케이."

"네, 인 거예요!"

"받들어~?"

"으음."

우리 애들은 가볍게 승낙했지만, 미아가 불만스레 신음했다. 이불 아래로 나온 손이 로브 자락을 붙잡길래, 금세 돌아올 거라고 했더니 놓아주었다.

왜 이렇게 잘 따르지?

아래층에서는 나디 씨가 급하게 식사를 하고 있었다.

"덕분에 살았어. 아침에는 보리죽 조금밖에 못 먹었거든."

호밀빵에 수프로 심플한 식사를 마치고, 루루가 따라주는 엷은 향초차의 향을 만족스런 표정으로 즐기고 있었다.

향초차라고 하면 듣기는 좋지만, 사실 맹물에 향을 내려고 찻잎을 띄운 것일 뿐이다. 민트만큼은 아니지만 뒷맛이 깔끔하다. 대단히 저렴해서 천화 1닢으로 잎이 가득 들어간 주머니를 살 수 있다고 한다.

"사토 씨는 행상인이죠?"

향초차를 한 모금 마신 나디 씨가 차근차근 말을 꺼냈다.

그러고 보니 그런 설정이었지. 세류 시에 도착한 이후로 상인다운 행동을 전혀 안 해서 조금 어색하지만 긍정했다.

"마차는 가지고 계신가요?"

"아뇨. 짐말을 데리고 다녔는데 별 내림 탓에 도망쳐 버렸어요."

분명히 이오나 양에게 이런 식으로 지어낸 이야기를 했었다.

"그건 운이 없으셨네요. 자금에 여유가 있으시다면, 마차를 사실 생각 없나요?"

배려가 느껴지는 표정이지만 갑작스런 요청이었다.

듣자니 점장이 아는 상인이 현역에서 은퇴하기 때문에 마차와 견인용 말 두 필을 세트로 판다고 했다.

이 근처 관광이 끝나면 아인 소녀들이 살기 좋은 곳으로 데리고 갈 생각이었으니까 마차 이야기는 안성맞춤이지만 문제가 하나 있었다.

"이야기는 감사하지만, 마부 경험이 없어서요—."

자동차 면허는 가지고 있지만 마차 운전은 해본 적이 없단 말이지.

거절할지, 마차 운전을 가르쳐줄 사람을 소개 받을지 고민하면서 망설였다.

문득 루루가 하고 싶은 말이 있는 것 같아서 물어보았다.

"루루, 하고 싶은 말이 있으면 사양하지 말고 말해봐."

"저, 저기, 말 한 필이 끄는 짐마차라면 몰아본 적이 있어요."

몇 번 더듬거리거나 막힐뻔했지만, 열심히 말을 만들어 자기가 할 수 있는 일을 전했다.

"그럼 루루한테 모는 법을 배우면 되겠네. 나디 씨, 구입할게요."

"결정이 빠르시네요. 하지만 사토 씨, 가격은 안 물어봐도 되나요?"

아차. 스토리지에 대량의 금화가 있어서 신경 쓰지 않았네.

문전 광장을 다니는 마차를 슬쩍 보면서 시세를 체크했다. 내가 하는 짓이지만 치트가 너무 심하다니까.

"그건 나디 씨를 신용하니까요. 예산은 이 정도로 해주시면 문제없어요. 남은 액수는 나디 씨 몫으로 가지시면 됩니다."

옛날 영화에서 본 능구렁이 상인의 표정을 이미지하면서 표정을 만들고, 나디 씨 손에 금화가 든 주머니를 놓았다.

시세 플러스 금화 두 닢이니까, 어지간히 호구로 보지 않는 한 괜찮겠지.

이걸로 교섭이 결렬된다면, 내가 가진 「교섭」 스킬이나 「흥정」 스킬이 나설 차례다.

"어느 틈에……."

나디 씨가 당황하면서도, 금화 수를 센 다음 대행증명서를 발행해 주었다.

솜씨가 너무 좋아서 부자연스러웠나? 스토리지 안에서 주머니에 금화를 채우지 말고 금액만 말하고 나중에 줄걸 그랬네.

응. 반성 종료. 다음부터 주의해야지.

◆

"여행하기 전에 야영 연습을 하자!"

아리사의 말에 따라, 서쪽 거리의 공터에서 야영 연습을 하기로 했다.

장소는 서쪽 거리에 있는 공터 중 하나로, 나디 씨가 대표자에게 허가를 받아 주었다. 보통은 마음대로 써도 된다는데, 이번에는 불을 쓰기 때문에 만약을 위해서 이야기를 해두었다.

공터가 잡초로 가득 차 있길래, 근처 공구점에서 산 낫으로 연습할 장소를 만드는 것부터 시작했다.

아리사, 루루, 리자 셋이서 부족한 도구와 야영 연습에 쓸 식재료를 사러 갔다.

"풀 베기~?"

"맡겨라! 인 거예요!"

포치와 타마가 재미나게 풀을 베기 시작했다.

나도 두 사람과 함께 풀을 베어서 한 군데에 풀을 모아 쌓았다. 즉석 부뚜막을 만들기 위한 장소는 풀을 베는 게 아니라 뿌리째 뽑아서 흙을 드러냈다.

거기에다 포치와 타마가 모아온 돌을 쌓아서 부뚜막을 만들었다. 학생 시절에 캠프를 하던 기억을 더듬어 만들었는데, 그럭저럭 괜찮은 것 같았다.

장을 보러 간 세 사람이 돌아오기 전까지 한가하길래, 포치와 타마와 함께 풀 침대에 드러누워서 하늘에 떠 있는 구름을 바라보았다.

작업 중에 스킬 취득 로그가 흘러가길래 확인했다. 예상 이상으로 많은 스킬을 얻었다. 「풀 베기」, 「경작」, 「개척」, 「채취」, 「석공」, 「야영」까지 여섯 종류다.

야영은 여태까지도 얻었을 법한 스킬인데 말이지. 미궁 바닥에서 누워 자거나 천막을 쳐놓고 자기만 하면 안 되나? 조건이 좀 불분명했다.

"기다렸지. 물건 사왔어."

아리사를 선두로 리자와 루루까지 돌아왔다.

리자는 즉석 부뚜막을 조정하여 냄비를 불에 올렸다. 물은 여기 오기 전에 이미 길어온 모양이다.

"에헤헤, 이거 봐, 이거!"

아리사가 자랑스럽게 보여준 것은 휘파람 주전자였다.

이쪽 세상에 가스레인지라는 것이 없어서 그런지 야외용을 사서 그런지는 모르겠지만, 냄비처럼 봉으로 매달아 가열하는 타입 같았다.

루루가 찻잎을 넣고 나서 아까 올린 냄비 옆에 걸었다.

오늘 메뉴는 뿌리채소 세 종류를 썰어 넣고, 말린 고기를 끓여서 만드는 스튜와 호밀빵이었다.

하얀 빵은 내벽 너머로 가야 살 수 있다고 한다. 지금은 호밀빵에 불만이 없으니 질릴 때까지 일부러 원정 갈 필요는 없겠지.

오늘 리자는 창을 식칼로 바꿔 쥐고 요리장을 맡고 있었다. 루루가 껍질을 벗기는 등 지원을 해주고, 아리사는 응원을 하고 있었다. 포치랑 타마는 주전자를 지키라고 시켰다.

나는 공터 한구석에 있던 그루터기를 회수하러 갔다. 테이블 대신이다.

아무도 안 보길래 그루터기를 힘으로 뽑아냈다. 중장비가 없으면 불가능한 일이지만 말도 안 되게 높은 근력으로 실현시켰다.

지면 위로 떠오른 굵은 뿌리를 붉은 투구에게 돌려주지 못한 마법의 손도끼로 쳐냈다.

휘파람 주전자가 삐이이 소리를 냈다.

어째선가 포치랑 타마가 주전자를 불에서 치우지 않고 이쪽으로 달려왔다.

"주전자 화났어~?"

"구해줘인 거예요! 주전자 아저씨가 화난 거예요."

주전자 「아저씨」냐…….

포치랑 타마는 휘파람 주전자를 처음 보는지, 증기가 울리는 휘파람 소리에 놀란 모양이다.

"저건 물이 끓었다고 휘파람 소리가 알려주는 거야."

"화 안 났어~?"

"왜 끓으면 삐이이하는 거예요?"

나는 둘에게 증기의 원리를 가르쳤지만 잘 안 통했다.

"당연하지. 이과 학생한테 가르치는 것도 아닌데 물이 기화하면 체적이 천 배가 된다고 말해봤자 이해할 리 없어."

틀렸어, 아리사. 1,699배다.

내심 항의했지만 당연히 아리사에게 들릴 리 없었다. 주전자 뚜껑을 열더니 가볍게 위에 올렸다.

"잘 보렴."

주전자 뚜껑이 증기로 까딱거리며 움직였다.

"물이 뜨거워지면 이 하얀 연기 같은 게 되는 거야. 이 연기는 힘이 세서 뚜껑처럼 가벼운 건 이렇게 움직이는 거야."

아리사가 근처의 풀을 뜯어서 풍차를 만들었다. 이 경우에는 바람개비구나.

그것을 증기에 대서 회전시킨 다음, 자기도 입으로 불어서 회전시켰다.

“사람이 후 부는 거랑 같은 일을, 증기가 하니까 휘파람 소리가 나는 거야.”

“아리사 굉장해~?”

“알았다인 거예요!”

조금 분하지만, 아리사의 설명이 둘에게 통했다.

물 마법을 쓸 수 있게 되면, 물을 기화시켜서 대상을 날려버리거나 벽을 만드는 마법 같은 것을 개발하고 싶군. 벌써 있을지도 모르지만.

식사를 끝내고 느긋하게 쉬고 있을 때 레이더에 비치는 광점을 깨닫고 돌아보았다.

셋 정도 되는 개 수인족이나 고양이 수인족 아이들이 나랑 눈이 마주쳐서 멈췄다. 저 봉제인형 같은 외견은 기억하고 있었다.

“꼬지구이 인사, 에오.”

“꼬지구이 고마어.”

“마시엇어, 에요.”

수인 아이들이 고개를 꾸벅꾸벅하면서 입을 모아 인사를 하더니, 내가 앉은 그루터기 위에 나무 열매가 잔뜩 담은 잎사귀 그릇을 놓았다.

“이건?”

“다레, 에요.”

답례라고 말하는 건가?

그때 포치랑 타마가 달려왔다.

아리사와 루루는 리자를 호위 삼아서 식후 디저트용 과일을 사러 가고 없었다.

"무례 금지~?"

"주인님 괴롭히면 안 되는 거예요!"

아무래도 얘네들이 날 공격하려는 줄 알았는지 경계 태세였다.

"아니야. 얘네들은 꼬치구이의 답례로 나무 열매를 주러 왔다."

내 말을 들은 포치와 타마가 경계 태세를 풀었다.

"이거는 시이 열매인 거예요! 아주 맛있는 거예요."

"이거는 쿠코 열매~? 이것도 맛있어~."

둘이 접시에 든 나무 열매를 들고 이름을 가르쳐 주었다.

"이거, 이 사암거."

포치와 타마가 멋대로 접시에서 집는 것이 마음에 안 들었는지, 아이들이 항의했다.

모처럼 마음을 써준 거니까 받고는 싶지만, 전에 포치랑 타마에게 들은 이야기를 생각해 보면, 이것은 아이들에게 귀중한 식량 아닐까?

—그렇지. 답례의 답례를 하면 되지.

조금 일찍 왔으면 스튜랑 빵도 있었는데…….

말린 고기 덩어리가 2킬로쯤 남아 있으니까 그걸 줘야지.

"고맙게 받을게."

나는 나무 열매를 손수건으로 감싸서 「격납 가방(개러지 백)」에 넣었다.

그것을 본 아이들이 만족스레 웃으며 돌아가려는 것을 불러 세웠다.

"부탁이 있는데."

"머, 에요?"

"너무 많아서 다 먹을 수가 없으니까 받아줄래?"

포치와 타마가 입을 열려고 하길래 신속하게 입을 막았다.

아마도 고기라면 얼마든지 먹을 수 있다고 하겠지.

"개차, 나요?"

"응, 받아주면 고맙지."

포치와 타마가 항의하는 시선을 보내지만 눈치 못 챈 척 했다.

기름종이로 감싼 말린 고기 덩어리를 소중하게 안고서 돌아가는 아이들에게 손을 흔들며 배웅했다.

참고로, 포치랑 타마는 중간부터 내 배에 머리를 막 비비는 것에 재미가 들렸는지, 장 보러 간 세 사람이 돌아올 때까지 부비부비 하면서 놀았다.

◆

야영연습이란 명목의 피크닉에서 돌아오며, 해결사 건물에 들러 마차 구입 수속 서류에 필요한 사항을 작성했다.

구입 수속은 나디 씨의 중개로 그날 안에 성립되었고, 다다음 날 낮에 수령이 완료되었다.

참으로 일처리가 빠르군.

마차의 구입 수속을 하는 와중에, 아리사가 미아를 엘프 마을까지 바래다주자고 했다.

나디 씨 말에 따르면 엘프 마을은 공도의 남동쪽에 있다고 하는데, 공도 관광을 한 다음에 가보는 것도 좋겠다.

이야기를 꺼내봤더니 미아도 긍정적이고, 무엇보다도 내가 엘프 마을을 보고 싶었기 때문에 점장이 세류 시로 돌아오면 말해보자는 것으로 이야기가 정리되었다. 역시 보호자의 허가는 받아야지.

그렇게 결정했지만, 점장은 아직 세류 시로 돌아오지 않았다.

예정에 따르면 어제 저녁이나 오늘 아침쯤 돌아왔어야 하는데…….

점장을 좋아하는 나디 씨도 별로 걱정하지 않는 걸 보니 괜찮겠지.

그리하여 아까 해결사 건물 앞에서 피로연과 마차 시승회를 끝내고, 루루랑 둘이서 마차 몰기 훈련을 위해서 세류 시 밖으로 나왔다.

"오늘도 날씨가 좋구나."

"……네, 그러엇네요."

무난하게 날씨 이야기를 해봤는데, 루루의 표정이 계속 딱딱했다.

단 둘이라 그런지, 루루가 긴장해서 어깨에 힘이 너무 들어갔다. 말들에게도 긴장이 전염된 건지, 아까부터 콧김이 거칠고 침착하질 못하다.

"그렇게 긴장하지마. 아리사처럼—은 안 해도 괜찮으니까, 포치랑 타마처럼 편하게 대해도 된다."

"그건…… 저는 노예니까요, 송구스러워요."

기어들어가는 목소리로 말하는 루루의 의식을 바꾸려면 시간이 걸릴 것 같다.

일단 심호흡을 시켜서 긴장을 풀어봐야지.

"루루, 숨을 커다랗게 들이쉬고—."

루루에게 고삐를 받으면서 지시했다. 기왕이면 긴장과 함께 몸도 이완시킬까 해서 일터에서 가끔 하던 앉아서 할 수 있는 스트레칭도 시켜봤다.

이쪽으로 온 다음부터는 몸이 젊어진 탓에 어깨 결림과 인연이 없어서 한 번도 안 했었다.

"조금 진정 됐니? 기왕 나왔으니 잠깐 이야기라도 해보자."

나는 루루에게서 시선을 돌리고, 흘러가는 구름을 보면서 느긋한 어조를 의식하여 잡담을 시작했다.

다소 긴장은 풀린 것 같지만, 루루는 「네」나 「그렇네요」하고 짧은 대답밖에 안 했다.

그러고 보니 루루는 남성을 어려워했지.

아리사 말에 따르면, 어렸을 때부터 사촌들이나 근처 아이들한테 왕따 비슷한 취급을 받았다고 하니 어쩔 수 없는 일이다.

말하는 것도 서투른 모양이니까, 이런 타입에게는 하고 싶은 말을 하도록 시키는 게 제일이다.

자랑이나 좋아하는 것에 관한 이야기라면 입이 매끄러워질 거다.

나 자신이나 오타쿠 친구들이 그랬으니까.

그러면 화제는 뭐가 좋을까?

나는 잠깐 생각하고서 아리사를 화제로 꺼내봤다.

"—그래요! 아리사는 굉장하답니다!"

보아하니 이 방법은 정답이었다.

아리사 이야기를 하는 루루는 참 즐거워 보였다.

눈빛이 반짝거리고 볼에도 약간 홍조가 돌았다. 가만히 있어도 미소녀인데 더욱 미소녀 지수가 올라간다.

자칫하면 위험한(로리콤) 세계에 떨어질 것 같아서 무섭군.

"아리사를 정말 좋아하는구나."

"네! 가끔 누가 언니인지 모를 때가 있지만요."

"정말이야, 도저히 열한 살 같지가 않아."

"아리사는 어렸을 때부터 천재였어요."

천재라기보다는 전생의 지식을 가지고 있었던 거지만, 그건 얘기 안 했나 보지?

뭐, 괜찮겠지. 모처럼 기회가 생겼으니 화제를 넓혀봐야지.

"어떤 식이었는데?"

"예를 들면 말이죠—."

아리사에 대한 평가에 상당히 콩깍지가 씌어 있지만, 괜히 정정하거나 부정하지 않고 일단 루루가 좋을 대로 말하게 했다.

오랜만에 말을 많이 해서 그런지, 콜록콜록 기침을 하며 목을 누르길래 물주머니를 건넸다.

그리고 점심때까지 루루가 즐겁게 이야기하는 아리사의 자랑을 들었다.

멀리서 벼락이 치길래 고개를 들어보니, 산 너머에 짙은 구름이 깔려 있었다.

아직 몇 시간은 괜찮을 것 같지만, 비가 내리기 전에 원래 목적을 달성해야지.

"이제 슬슬 마차 몰기 연습을 시작할까?"

"네! 죄송합니다, 저도 참 아리사 얘기만 나오면……."

너무 말이 많았던 것을 부끄러워하는 루루를 달래면서 연습을 시작했다.

물론 루루가 가르쳐주는 대로 마차를 출발시킨 시점에서—

〉「마차 몰기」 스킬을 얻었다.

〉칭호「마부」를 얻었다.

—이렇게 스킬을 획득해서 연습할 때마다 스킬 포인트를 분배해서 스킬 레벨을 올렸다.

갑자기 MAX로 만들지 않은 것은 가르쳐주는 루루에 대한 배려와, 시간을 들여서 연습하며 커뮤니케이션을 원활하게 만드는 것이 목적이었다.

덤으로 잡담을 통해 마차에 대한 일반상식을 배우는 것도 중요하다.

마차를 모는 방법 자체는 「마차 몰기」 스킬이 가르쳐주지만, 왜 그렇게 조종할 필요가 있는지 까지 가르쳐주지는 않는다.

루루가 그것을 보완해 주었다.

물론 루루도 도시 안에서만 몰아봤기 때문에 여행에 나서기 전에 베테랑 마부에게 교습을 받기로 했다.

멀리서 벼락이 우르릉거릴 때마다 옆에 앉은 루루와의 거리가 좁아졌다.

아마 루루는 벼락이 무서운 거겠지.

아까 산 너머에서 번쩍 빛났을 때는 짧게 비명을 지르며 팔에 매달렸을 정도였다.

아리사라면 천둥소리가 들리면 구경하러 갈 것 같은데.

문득 가까운 숲에서 시선을 느끼고 돌아보았다.

사람은 안 보였고, 레이더에도 수상한 것은 안 비쳤다. 작은 동물이나 새가 있을 뿐인데— 아니, 올빼미가 있네.

다시 번개가 번뜩이자, 올빼미가 먹구름을 등지고 역광 속에서 수상쩍게 부각되었다.

어쩐지 올빼미랑 눈이 마주친 것 같았지만, 올빼미는 이쪽에 흥미를 잃었는지 세류 시에 들어가는 마차의 지붕에 올라타서 가버렸다.

"저, 저기, 주인님?"

내가 말이 없어진 탓에 루루가 불안해진 모양이다.

기껏 가까워졌는데 이래서는 아리사의 자랑을 견딘 보람이 없잖아.

"미안, 숲 속에서 커다란 새가 보인 것 같길래."

"매인가요?"

"아니, 좀 둥그스름했으니까 올빼미 아닐까?"

적당하게 변명을 하면서 미묘해진 분위기를 친근한 분위기로 되돌렸다.

◆

시내로 들어가 해결사 건물 앞으로 돌아오자, 2층 창에서 우리를 발견한 타마가 손을 흔들었다.

마주 흔들어주려고 했지만, 금세 창 안쪽으로 들어가 버려서 들어 올린 손이 난감했다.

키득거리는 루루에게, 마차를 문전여관으로 몰라고 멋쩍게 지시했다.

응, 친해졌으니 다행이지 뭐.

"주인님~?"

"어서 오세요, 인 거예요!"

넘어지지 않을까 걱정될 정도로 달려온 포치와 타마를 받아냈다. 그 뒤에 아리사, 리자와 함께 미아도 있었다.

"사토."

"안녕? 미아. 돌아다녀도 되니?"

"응, 마법약(포션)."

"점장이 가져다 준 마법약 덕분인가 봐. 처음 봤는데 마법약은 대단하네."

미아의 부족한 말을 아리사가 보충해 주었다.

맵을 확인하자, 점장이 해결사 건물 2층에 있었다. 아무래도 우리가 나갈 때 엇갈려서 세류 시로 돌아온 모양이다.

"건강해져서 다행이다."

"응. 감사."

미아가 무슨 말을 하고 싶어 하는 것을 보다 못해, 아리사가 미아 뒤에서 그녀의 머리카락을 콕콕 가리켰다.

미아는 평소와 머리모양이 달랐다. 평소에는 아무렇게나 뒤로 내리고 있던 머리칼을 두 군데에서 묶어 트윈테일로 만들었다.

아무래도 그걸 칭찬해 주라는 건가 보다.

"머리 모양 귀엽다. 잘 어울려."

"응."

내가 칭찬하자 미아가 부끄러운 듯 작게 대답했다.

아리사의 제안으로 쾌유를 축하하며 뭔가 맛있는 거라도 먹자는 이야기가 나와서, 미아에게 먹고 싶은 게 없냐고 물어봤다.

"꿀 과자."

바로 대답할 거라 생각 못했기 때문에 반응이 늦었다.

그것을 거부라고 이해했는지, 아리사가 나섰다.

"전에 포치랑 타마가 먹은 벌꿀 과자 이야기를 듣고서 흥미가 생겼어."

"리자도 먹은 거예요!"

"달콤하고 행복한 마앗~."

포치랑 타마가 그때를 떠올렸는지, 볼에 손을 대고 행복한 표정을 지었다.

"가능하면 미아한테도 먹여주려고."

그렇군. 미아 핑계를 대지만, 요컨대 아리사도 먹고 싶은 거구나.

그다지 비싼 것도 아니라, 루루랑 리자에게 은화를 몇 닢 들려서 사람 수보다 넉넉하게 벌꿀 과자를 사오도록 했다.

아리사를 보내도 되겠지만, 갓 회복된 미아도 따라갈 것 같아서 둘에게 부탁했다.

문득 타마가 문전여관 지붕을 보았다.

“무슨 일인 거예요?”

“뉴~. 저 새 이상해~?”

지붕 꼭대기에 머무르는 올빼미를 보고 타마가 고개를 갸웃거렸다.

—아까 루루랑 마차 연습을 할 때 본 녀석인가?

우리가 주목하자, 올빼미가 어디론가 날아갔다.

“안녕하세요? 나디 씨. 점장님 있어요?”

“어머, 어서 오세요. 사토 씨. 점장님은 미제 씨하고 같이 있어요.

미제가 누구더라— 아아 생각났다. 붉은 투구구나.

나는 나디 씨에게 인사를 하고 2층 계단으로 갔다.

아이들은 1층 소파 세트의 테이블 위에 학습 카드를 펼치고 있었다. 그 게임이 그렇게 마음에 들었나?

비가 내릴 듯한 날씨라서 가게 안에 손님은 없었지만, 나디 씨를 방해하지 말라고 주의를 주었다.

문을 가볍게 노크하고 방에 들어갔다.

여성이나 사춘기 남자애 방이라면 대답을 기다리고 들어가지만, 아저씨들 방이니까 조금 시간을 두고 들어가면 되겠지.

방에 들어간 날 보고, 점장이 손을 살짝 들어서 환영해 주었다.

"사토."

"자토? 그대그아, 목숨으 은인이그아—."

붉은 투구의 감사 인사를 받았다. 알아듣기 어려운 건 상처 탓이 아니라 전에 만났던 개 수인족 아이들과 마찬가지로 입 구조적인 문제일 것이다.

붉은 투구가 「기어 오는 그림자」에게 공격받은 사정이나, 미아를 데리고 있던 사정을 물어보았다.

물론 그냥 궁금하다고 기웃거리는 구경꾼 근성이라는 건 자각하고 있었으니까, 두 사람이 거부하면 그걸로 끝낼 생각이었지만 생각보다 자세히 말해주었다.

미아가 고향인 엘프 마을에서 마술사에게 납치되어 「요람(크레이들)」이라고 불리는 시설에 납치된 것, 시설의 전이(轉移)기능으로 도망친 미아를 붉은 투구가 우연히 구한 것, 점장을 의지하려고 세류 시로 왔다는 것을 가르쳐 주었다.

미아와 만난 이유는, 그의 취락 근처 산들에서 식물들이 말라 죽는 현상의 원인이 「요람」이 아닌가 조사하러 왔기 때문이라고 한다.

종족적으로 접점이 없을 것 같은 미아를 공주라고 부르는 것은, 붉은 투구가 젊었을 때 엘프 마을에서 무사수행을 하면서 익힌 습관이라고 한다.

마술사가 미아를 유괴한 이유는 알 수 없었다. 점장은 뭔가 아는 것 같았지만, 입을 열 생각이 없는 것 같아서 묻지 않고 넘어갔다.

그리고 마술사의 앞잡이인 큰 송곳니 개미나 큰 날개 개미에게 쫓기면서도, 전부터 거래를 하던 뒷골목 사람들의 인도로 시내에 잠입했다고 한다.

세류 시를 공격한 큰 날개 개미는 그 마술사가 보낸 것들이었구나.

참고로 거래 품목은 취락 근처에서 채취할 수 있는 암염이라고 한다.

—그렇지. 미아를 고향으로 바래다주는 걸 점장이랑 상담해야지.

"점장님, 사실은—."

내가 이야기를 꺼내려고 하는 목소리를 자르듯, 천둥소리와 동시에 나디 씨의 비명이 귓볼을 때렸다.

"나디!"

점장이 재빠른 움직임으로 방을 뛰쳐나갔다.

나도 황급히 뒤쫓았다. 뒤이어 붉은 투구도 쫓아왔다.

계단을 내려간 우리가 본 것은 부둥켜안고 있는 나디 씨와 소녀들의 모습이었다.

“왜 그래?!”

“저, 점장님…….”

붉은 투구가 허리를 낮추고 가게 입구에 날카로운 시선을 보내며 경계하고 있었다.

그러나 내 레이더에도 적은 없었다.

좌우의 포치랑 타마에게 끼인 아리사가 숨이 막혀 괴로운 듯, 「항복 항복」 하면서 두 사람의 등을 두들기고 있는 것 말고는 딱히 문제가 없었다.

아리사가 질식하기 전에 포치랑 타마를 아리사에게서 떼어냈다.

“대체 뭐가―.”

내 말을 자르는 천둥 소리.

이어서 후두둑 떨어지는 빗소리가 들리더니, 순식간에 호우가 되어 바깥을 회색 커튼으로 감춰 버렸다.

어린 소녀들 투성이인 소파에 앉아서 아까 그 비명이 어떤 뜻인지 이해했다.

나디 씨나 아이들은 벼락에 겁을 먹고 비명을 지른 모양이다.

점장이 마법으로 실내에 불을 밝혔다.

그 빛이 점장에게 안긴 나디 씨의, 겁을 먹었으면서도 행복해 보이는 얼굴을 비추었다. 마음 속으로 「리얼충 폭발해라」라는 저주의 말을 하면서 쓴웃음을 지었다.

좌우에서 팔에 매달리는 아리사와 미아, 그리고 손톱을 세우며 무릎 위에 웅크리고 있는 타마는 그렇다 치고, 얼굴 정면에 필사적으로 매달리는 포치가 좀 그렇다. 머리카락을 잡아당기면 아프니까 좀 봐주라.

포치를 들어서 타마랑 같이 무릎 위에 앉혔다.

"벼, 벼락 아저씨가 무서운 거예요!"

"우르릉, 쾅쾅~."

"새까매지는 거예요!"

"나무도 두 동강~?"

약간 패닉에 빠진 포치랑 타마가 팔을 휘적거리고 눈물 지으면서 벼락의 공포를 호소했다. 그렇게 무섭냐?

그보다도—.

"벼락은 대단히 위험한 것, 위험한 거야. 아제도 그랬어. 용도 벼락을 맞으면 추락해 버려. 떨어져 버려. 정말이야?"

—엄청나게 말을 많이 하는 너는 누구냐.

방금 전까지 말수가 적었던 게 거짓말인 것처럼, 미아가 기관총마냥 말의 탄환을 뿌려댔다.

아제라는 건 모르는 이름인데 미아의 어머니인가?

"그리고, 아리사도 벼락 무섭냐?"

"……왜, 안대애?"

그렇게까지 무섭냐? 아리사가 창백한 표정으로 내 팔 아래로 들어가 몸통을 끌어안았다.

평소처럼 더듬어대는 줄 알고 경계했지만, 벼락이 떨어질 때마다 움찔거리며 몸이 굳는 걸 보니 진짜인가 보다.

가슴팍에 매달린 타마가 고개만 돌려서 바깥의 비를 쳐다보았다.

"왜 그러니?"

한층 큰 천둥이 타마에게 물어보는 목소리를 가로막았다.

벼락의 섬광에 비친 작은 그림자가 보였다. 레이더에도 접근하는 광점이 있었다.

호우의 커튼을 빠져 나온 커다란 올빼미가 푸드득 거리며 카운터 위에 착지했다.

—아까 그 올빼미네. 비를 피하러 왔나?

그 동그란 눈동자가 미아를 포착했다.

AR표시가 올빼미의 상세한 정보를 가르쳐 주었다. 「그림자 올빼미」이라는 올빼미의 일종인가 보다. 붉은 투구와 만나기 전에 본 올빼미랑 같은 종류 같았다.

그건 괜찮은데, 칭호가 「젠의 사역마」였다. 리얼 「사역마」라니, 역시나 판타지.

그러나 사역마는 마술사가 사역하는 거지.

마술사의 이름이 「젠」일 거고.

그런데 어디서 들어본 이름— 아아, 제나 씨랑 본 연극의 주인공 이름이네. 그 비련 이야기는 실화를 바탕으로 만들었다고 하지만 우연의 일치겠지. 주인공 마술사 젠은 스토리대로 처형되었다고 하니까.

별 도움도 안 되는 정보를 뇌리에서 떨쳐냈다.

지금은 이 사역마에 대처하는 게 먼저다. 배후에 있는 마술사를 맵으로 검색했지만, 세류 시는커녕 백작령 전체를 포함해서도 존재하지 않았다.

—어디서 조종하는 거지?

일단 사역마를 붙잡아야지.

마술사의 이목을 빼앗지 않으면 전처럼 마물을 보낼지도 모른다.

나는 올빼미를 주시하면서 무릎 위의 포치랑 타마를 좌우의 아리사와 미아에게 맡기고, 넷을 등 뒤로 감추며 소파에서 일어섰다.

마법의 빛이 올빼미의 등 뒤에 긴 그림자를 만들었다.

비에 비친 그림자에서 솟아오르는 **놈**을 본 순간에 모든 것이 얼어붙은 것처럼 움직임을 멈추었다.

—공포.

그렇다. 놈은 공포 그 자체가 구현화된 존재.

우리는 눈을 깜빡이는 것마저 잊고서, 그저 하염없이 공포에 휩쓸렸다. 그것에 저항하려는 생각조차 못했다.

비명을 지르며 꼴사납게 도망치고 싶다. —그러지 않은 것은 미약하게 남은 프라이드와 보호욕구. 등 뒤에 지키고 있는 소녀들의 존재가, 내 이성을 붙들었기 때문이다.

찰나의 공백이 지난 뒤, 공포가 아주 약간 흐려졌다.

—아리사의 정신마법인가?

미약한 이성이 메뉴를 열 여유를 주었다.

구형 PC처럼 반응이 나쁜 것을 마음속으로 매도하면서 스킬 탭을 열어 목적한 스킬까지 스크롤 시켰다.

터무니없이 긴 체감 시간 끝에 그것을 발견했다.

—공포 내성 스킬.

생각으로 조작해서 「무효」에서 「유효」로 바꾼 순간— 시간이 움직이기 시작했다.

사고가 놀랄 정도로 선명해졌다.

썰물이 빠져나가는 것처럼 좁아졌던 시야가 넓어졌다.

방금 전까지 들리지 않던 빗소리도 돌아왔다.

몇 십 분이나 지난 것 같았지만, 놈이 나타나고서 0.1초도 지나지 않았다.

그 증거로, 놈은 올빼미 그림자에서 모습을 드러내는 도중이었다.

방금 전까지 거인처럼 느껴진 상대가, 지금은 나보다 조금 키가 클 뿐이라는 것을 알 수 있었다.

지저분한 다갈색 로브에 등이 굽은 남자였다. 깊숙이 눌러 쓴 후드 탓에 얼굴이 안 보인다.

날아온 올빼미와 달리 이 녀석은 지금 이곳에 출현했다.

마치 진짜 그림자에서 나오는 것처럼, 레이더에 하얀 광점이 발생했다. 지금은 빨간 광점으로 바뀌었다.

종류는 모르겠지만 아마 마법이겠지.

놈 옆에 AR표시된 정보를 눈으로 쫓았다.

이름은 젠. 레벨은 41. 높다. 스킬은—「불명」.

불길한 예감이 들었다. 아리사나 용사랑 같은 부류인가?

마지막까지 읽기 전에, 한 걸음 나선 마술사 젠이 우리를 흘겨보더니 미아에게서 시선을 멈췄다.

그 전에 한 순간, 나랑 아리사에게 머물렀던 것 같은데 기분 탓인가?

"마중 나왔단다. 미아."

지옥 바닥에서 기어 나오는 망자 같은 목소리가 들리자, 붙들고 있는 옷자락을 통해 미아의 몸이 한 순간 움찔 떨리는 것이 전해졌다.

이 남자가 미아를 납치한 마술사가 틀림없다.

후드 아래가 마법의 빛을 거부하듯 어두웠다. 유일하게 보이는 것은 타다남은 불씨처럼 작은 보라색 불꽃 둘이었다.

무서워서 말을 못하는 미아 대신 내가 대응하기로 했다.

"처음 뵙겠습니다, 마술사 양반. 나는 상인인 사토라고 합니다."

"흥, 상인 따위에게는 용건 없구나."

젠이 오만하게 내뱉었다.

“그러나 역시 용사의 후예다. 내 공포를 쐬고도 태연하게 말할 수 있는 것은 경탄의 가치가 있구나.”

—누가 용사의 후예냐?

이 흑발이랑 이름으로 그렇게 판단했다면 역시 이 녀석의 정체는…….

“넘어가줄 셈이었다만, 저항한다면 용서하지 않겠도다.”

그 말을 증명하는 본보기일 것이다. 젠이 나무 카운터 위에 손을 올리자, 그것이 눈에 띄게 변색되더니 말라붙으면서 썩어 버렸다.

마법인지 마법 도구인지는 모르겠지만, 놈에게 닿는 건 위험하군. 나는 「부패 내성」 스킬이 있으니까 얼마간 견딜 수 있겠지만, 굳이 시험할 생각은 없었다.

마술사를 상대할 경우 게임이라면 범위공격 마법을 경계해야 하지만, 저쪽이 미아를 약탈하려는 이상 그건 경계 안 해도 되겠지?

“일이 거칠어지는 건 사양하고 싶지만, 미아는 친구입니다. 본인의 의사에 반하는 일을 넘어가줄 수가 없어요.”

“팔 하나가 이 탁자처럼 삭아버린 다음에도 똑같은 말을 할 수 있겠느냐?”

젠이 썩어서 부서진 카운터 사이를 지나 이쪽으로 한 걸음 다가왔다.

“절대 안 물러날 건가요?”

"우문이구나. 미아를 지키고 싶다면 무용을 보이거라. 말로 막을 수 있을 정도로 내 광기는 가볍지 않구나."

그러면 그러지 뭐.

돌바닥을 부수지 않도록 주의하면서, 일격으로 제압하기 위한 타격을 놈의 명치에 박았다.

만화에서 본 중국권법 기술의 이미지를 「격투」 스킬이 실현시켰다.

너무 심하면 일격에 죽어 버리니까 「납치」 스킬의 감각에 맞춰서 적당히 힘을 뺐다.

—가볍다.

몸을 때리는 일격이 아니라 몸의 표면을 약간 미는 느낌의 일격이었지만, 이렇게까지 가벼운 건 말이 안 된다.

시선을 내리자, 반투명하게 비치는 젠의 몸을 꿰뚫은 내 주먹이 보였다.

"뭐야?!"

경악하는 내 발목을 무언가가 붙잡아서 순식간에 들어올렸다.

위아래가 뒤바뀌는 시야. 「입체 기동」 스킬이 지원해준 덕분에 세반고리관의 비명을 안 듣고 주위를 살펴볼 수 있었다.

나를 붙잡은 거인의 정체는 젠의 그림자에서 뻗어 나온 몇 개의 검은 촉수였다.

—이 녀석은 그림자를 조종하나!

딱히 대미지를 받은 것 같지는 않지만, 붙잡힌 발목이 저릿하면서 아프다.

나뿐만아니라 아리사도 그렇지만, 무영창 마법은 사전에 감지 못하니까 귀찮다.

〉「그림자 마법」 스킬을 얻었다.
〉「그림자 내성」 스킬을 얻었다.

그림자 내성 스킬은 뭔데? 딴죽을 걸고 싶지만 지금은 그럴 때가 아니다. 그림자 내성 스킬에 포인트를 분배해서 이 부조리한 마법에 저항력을 올려두기로 했다.

그림자 내성 스킬 덕분인지 발목이 찌릿찌릿하면서 저린 감각이 사라졌다.

"놀랍구나. 상인을 칭하는 격투가인가? 하물며, 그 레벨로 이 정도 움직임을 보일 수 있으니 세상은 좁으면서도 넓구나."

"나도 그림자를 조종하는 마술사가 있을 거라고는 생각 못 했으니까 피차일반이야."

적에게 존댓말을 쓰는 것도 바보 같았기 때문에 반말로 바꿨다.

교류란의 레벨 표시가 너무 낮으면 이럴 때 얕잡아 보는 일이 생기네. 상대의 방심을 유도하는 건 좋지만, 애당초 방심을 유도할 필요가 없단 말이지…….

“그 꼴로 잘도 입이 돌아가는군. 기개가 좋구나.”

젠 옆에 새롭게 만들어진 그림자가 주먹을 만들었다.

제대로 맞으면 아프겠다. 나는 스토리지에서 마법총을 꺼내려고 로브 주머니에 손을 넣었다.

“우리 주인님한테서 손 치우지 못해애애!”

아리사가 죽음을 도외시한 목소리를 짜냈다. 동시에 뭔가에 끌려가는 감촉이 몸 오른쪽에 생겼다.

로그를 보니 「정신 충격파(쇼크 웨이브)」란 정신마법을 썼나 보다.

한 순간이지만, 젠이 한 걸음 뒤로 휘청거렸다.

놈의 체력 게이지나 스태미나 게이지에는 변화가 없었지만, 약간 후퇴(넉백)효과가 있었나 보다.

휘청거린 머리에서 후드가 벗겨져, 젠의 얼굴이 드러났다.

—두개골이 보였다.

공허한 눈구멍 안에 보라색 불꽃이 눈동자 대신 자리 잡고 있었다.

공포 내성이 없었다면 비명을 질렀을 거다.

나는 방금 읽다가 멈춘 젠의 스테이터스를 마저 읽었다.

“……유귀(레이스)?”

나디 씨의 갈라진 목소리가 들렸다.

아무래도 아리사가 공격을 하기 전에 「공포 제거(리무브 피어)」 마법을 써서 상태이상을 해제한 모양이다.

나디 씨 추측은 타당했지만, 놈은 그렇게 어중간한 상대가 아니었다.

"그러한 하급 불사(언데드)의 마물이라고 생각되는 것은, 다소 불쾌하구나."

젠이 불쾌하다는 시선으로 나디 씨를 노려보았다.

나를 노리던 그림자의 주먹을 나디 씨를 향해 쏘았다.

공중에서 몸을 비틀어 스토리지에서 꺼낸 마법총으로 주먹을 요격했다.

마법 탄환은 어엿하게 주먹을 맞추어 흩어지게 했지만, 주먹의 뿌리 부근 그림자가 기세를 잃지 않고 나디 씨를 공격했다.

또 한 번 방아쇠를 당겼지만, 0.1초의 딜레이가 그것을 거부했다.

"나디!"

점장이 나디 씨 앞에 긴 지팡이를 세워서 막으며, 주문 영창을 시작하려고 입을 열었다.

그림자 끝이 점장의 지팡이를 부수고 가슴을 강타했다.

—그 광경이 나에게 힌트를 주었다.

다리를 **구속**하는 그림자에서 발을 억지로 빼고, 반대쪽 발을 구속한 그림자를 짓밟았다.

나는 순식간에 구속에서 벗어나, 그대로 점장과 나디 씨를 꿰뚫으려는 그림자 주먹을 때렸다.

"말도 안 되는! 그렇다. 말도 안 되는! 일이구나."

나는 그림자랑 같이 부서진 돌 바닥에서 주먹을 뽑고 땅에 섰다.

그림자니까 못 만진다고 착각했다.

이쪽에 간섭할 수 있다면 이쪽에서도 간섭할 수 있는 거잖아.

"그림자 마법으로 만들어낸 그림자 채찍(섀도우 휩)에, 마법이나 마법의 도구(매직 아이템)가 아닌 것으로 간섭하는 일은 있을 수 없다."

—아니었네.

잘난척하면서 해설 안 하길 다행이군. 자칫하면 흑역사가 될 뻔했다.

그보다도, 가슴을 강타당한 점장의 체력게이지가 위험하다.

그림자를 파괴해도 기세가 죽지 않았는지, 날아가 버린 점장을 받아낸 나디 씨도 기절해 버렸다.

"콩주든 못준드아."

붉은 투구가 점장의 부러진 지팡이를 들고 내 옆에 섰다.

내 뒤에서 아리사가 작은 소리로 포치와 타마에게 지시를 내리기 시작했다.

"포치, 타마. 내가 틈을 만들 테니까 미아를 데리고 뒷문으로 도망쳐. 알겠지?"

"함께 싸우는 거예요!"

"뼈 해치워~?"

"안돼. 저 녀석은 못 이겨. 레벨이 너무 다른걸."

그런데 미아가 떨리는 목소리로 아리사의 제안을 거부했다.

"……괜찮아. 도망쳐."

"너를 두고 도망치는 게 말이 되니? 너를 보내는 건 친구라서 그런 것만이 아냐. 우리 주인님이 원하는 게 너를 지키는 거니까 그걸 최우선으로 하는 거야."

아리사가 어린 소녀가 아니었으면 반할 것 같군.

"하지만."

"하지만도 저지만도 없어. 도망칠 틈은 확실하게 만들어줄 테니까 안심하고 도망쳐."

아리사 녀석, 고유 스킬을 쓸 셈이군. 그건 그렇고 하지만 저지만은 저만한 애가 쓸 말이 아닌 것 같은데 말이지.

나의 마법 내성을 돌파했을 정도니까, 고작해야 레벨 41인 상대라면 충분히 효과가 있겠지.

뭐, 그 전에 어떻게든 할 거지만.

"마술사 양반. 미안하지만 지식이 없는 우리들에게 당신 정체를 가르쳐줄 마음은 없을까?"

나는 마법총을 겨누며 젠에게 물었다.

물론 정체는 이미 알았다. AR표시가 가르쳐주는 놈의 정체는 「불사의 왕(노라이프 킹)」이다.

유명한 「불사의 마도사(리치)」나 「흡혈귀의 진조」와 나란히 최고 랭크의 언데드다.

"흠. 어떤 때는 상인, 또 어떤 때는 격투가. 하지만 정체는 총사(건맨)란 것인가?"

젠이 내 질문에 답하지 않고 아리사처럼 옛날 표현을 쓰면서, 내 말을 듣고 살이 없는 입을 덜그럭거리며 웃었다.

"정체는 더 다양할지도 모르지."

나로서는 진정한 정체로 이세계 관광객을 추천한다.

"재미있군. 사토여. 그 정체에 용사를 추가해 보거라—."

"주인님, 생쥐 아저씨, 옆으로 뛰어!"

젠의 말을 마지막까지 안 듣고, 아리사의 목소리가 끼어들었다.

"간다아아아아!"

내가 뛰는 것과 동시에 아리사가 절규했다. 보라색 머리칼이 드러나며 빛을 띠고 나부꼈다.

보이지 않는 공격이 젠에게 직격했다.

젠이 휘청거렸다. —그러나 그것이 다였다.

"지금 그것은 위험했다. 설마 고유 스킬이라니! 그리고 그 머리칼! **저 계집아이도** 전생자였구나. 가발을 쓰고 있으리라고는 생각지 못했구나."

계집아이도라고 했으니, 역시 예상대로 젠도 전생자였구나.

"크우, 저항(레지스트)해 버렸어."

풀썩. 아리사의 몸이 소파 위에 쓰러지는 소리가 났다. 지금 그 일격으로 스태미나와 마력을 모두 소비했을 것이다.

혼절한 아리사에게 소녀들이 모여들어 이름을 부르며 걱정하고 있었다.

반응이 늦은 붉은 투구가 눈가와 입가에서 체액을 흘리면서 정신을 잃었다. 목숨에 지장은 없겠지만 방치하면 후유증이 남을 것 같은데.

아리사가 만든 틈을 찔러서 놈의 어깨를 노려 마법총의 방아쇠를 당겼다.

인간을 상대로 총의 방아쇠를 당기는 것에 저항이 있었지만, 상대가 언데드라 원령 같은 외견 탓인지 위협 정도라면 문제없이 쏠 수 있었다.

마법의 탄환이 다가갔지만, 놈의 몸 앞에 나타난 마법의 방어벽에 막혀 버렸다. 투명도가 높은 검은 유리 같았다.

마법총이 안 통하네…….

그렇다고 「불씨 탄환」을 실내에서 쏠 수도 없었다. 자칫하면 가옥이 전소될 테니까.

—스토리지의 성검이나 신검을 쓰면 간단히 이길 것 같았지만 위력이 너무 높아서 바로 죽여 버릴 것 같아 조심스럽단 말이지.

원령처럼 보이긴 하지만, 인간의 자의식이 있는 상대를 죽이면 잠자리가 뒤숭숭할 것 같아서 망설이게 되었다.

본관 군이나 눈알 마족처럼 존재 자체가 양립할 수 없는 「인류의 적」 같은 거면 저항감이 적을 텐데…….

"분수를 넘은 힘은 파멸을 부른다. 그 아이를 신의 완구로 만들기 싫다면, 방금 전 쓴 고유 스킬을 쓰지 못하도록 하거라."

"일어나면 전해둘게."

젠의 충고를 들으면서 타개책을 생각했다.

"그러도록 하라. 그러면 물러가도록 하지."

—미아를 포기했나?

젠이 깔끔하게 퇴각한다고 하자 긴장이 풀릴뻔했지만, 뒤에서 애들 비명이 들리길래 돌아보았다.

"힘이 빠져~?"

"이거 놔, 인 거예요!"

"사토."

포치와 타마가 그림자 채찍에 잡혀 공중에 매달려 있었다.

내 이름을 부르며 애원하는 미아는 땅바닥에서 뻗어 나온 무수한 그림자 채찍에 묶여 몸의 절반이 그림자 속에 가라앉아 있었다.

포치와 타마 두 사람은 스태미나를 다 빼앗기고 가까운 소파에 던져졌다. 괜찮다, 다치진 않았어.

—미아가 우선이다.

"미아!"

나는 포치와 타마에게 마음속으로 사과하면서 미아에게 달려들었다.

손으로 미아에게 달라붙은 그림자 채찍을 붙잡아 찢으려고 했지만, 고무처럼 늘어나서 쉽사리 끊을 수 없었다.

방법을 바꿔서 미아에게 달라붙은 그림자 채찍을 마법총으로 쏴서 절단했지만, 그림자 속에서 차례차례 새로운 그림자 채찍이 나타나는 속도가 더 빨랐다.

나는 마법총을 버리고 미아를 끌어안아 그림자 속에서 끌어내려고 했지만, 그림자 채찍이 미아를 끌고 가는 힘이 생각보다 강했다.

미아가 괴로운 비명을 흘렸다.

내가 당기는 힘이 더 강하지만, 미아의 체력이 조금씩 줄어든다. 더 이상 힘을 주어 당기면 미아의 몸이 찢어질 것 같았다.

"소용없는 일이다."

젠이 발치의 그림자에 가라앉으면서 계속 저항하는 나를 가엾게 보았다.

아리사가 마법총을 주워 젠을 쏘았지만, 방금 전과 마찬가지로 검은 방어벽이 탄환을 막아 버렸다.

"나와 같은 초월자를 당해내지 못하는 것은 세상의 부조리한 섭리라고 생각하여 포기하거라. 죽음이 두렵지 않다면 요람을 찾아 오도록 하라. 지혜와 용기를 쥐어 짜내 돌파하기를 기대하고 있구나."

그 말을 마지막으로 젠이 그림자에 가라앉아 사라졌다. 미아가 가라앉는 것을 마지막까지 보지도 않는 것은 여유가 있는 건지 방심한 건지 모르겠다.

내 몸도 약간 그림자에 끌려들어갈 것 같았지만, 레지스트 때문인지 1센티 이상은 가라앉지 않았다.

"주인님!"

"아리사!"

그때 돌아온 리자와 루루가, 실내의 참상을 보고 소리쳤다.

—나는 결단을 내렸다.

"리자! 루루! 애들 치료를 부탁한다. 호른 전직 신관이나 제나 씨를 찾아가!"

한 마디 하고서, 금화가 든 주머니를 리자에게 던져서 건넸다. 베르톤 자작의 문장이 들어간 것이었다. 여차하면 그에게 도움을 빌릴 수 있을지도 모른다.

"나는 걱정하지마. 반드시 미아랑 같이 돌아온다!"

대답을 기다리지 않고, 나는 그대로 미아와 함께 스스로 그림자에 가라앉았다.

토라자유야의 요람

"사토입니다. 사람들 사이에서 전해진 정보는 변질됩니다. 그것이 의도적인지 무의식인지 상관없이, 「누군가」라는 필터를 거치면 어쩔 수 없이 변해 버리게 됩니다."

가라앉은 곳은 암흑의 공간이었다.

소리도 없고 빛도 없고, 그야말로 그림자 속이란 느낌이었다. 물론 공기도 없었다.

……조금 괴롭다. 조금씩이지만 체력과 스태미나가 줄어들고 있었다. 그래도 「자기 치유」 스킬 탓인지 일정 시간이 지나자 회복되었다.

어쩌면 숨이 막혀도 죽지 못하는 몸인지도 모르겠다.

공기가 있더라도 이런 데 오래 있으면서 제정신을 유지할 사람은 없을 것 같았고, 조금 산소가 부족한 탓에 사고에 집중할 수가 없었다.

—그렇지. 미아다.

자기 몸도 안 보이는 상태라서 당연히 미아도 안 보였다. 주변을 더듬거리며 찾아봤지만 위아래도 모를 상황에서는 찾기가 어려웠다.

스토리지에서 점화 지팡이를 꺼내 점화 버튼을 눌렀다. 네 몸은 보일까 싶었지만 전혀 효과가 없었다.

레이더에도 나밖에 안 보였다.

오랜만에 「모든 맵 탐사」를 써봤다. 유감이지만 레이더 표시는 그대로였다. 정말로 나밖에 없는 건가?

맵을 열어봤다.

이렇게 써있었다—. 「맵이 존재하지 않는 구역입니다.」

"게임이냐!"

나는 전력으로 짖었다.

그리고 그 목소리에 호응하듯, 소리도 없이 그림자의 공간이 깨지며 유리처럼 파편이 되어 사라졌다.

◆

그곳은 알현의 방이란 요소를 모아놓은 장소였다.

학교 체육관을 세로로 늘어놓은 넓이의 길쭉한 방이었다. 석조 바닥, 벽 근처에 굵은 원기둥이 늘어섰고, 기둥에 달린 촉대에서 LED 같은 마법의 빛이 넘쳐서 방을 밝히고 있었다.

한층 높은 곳에 옥좌가 있으며, 그 안에는 붉게 깜빡이는 직경 2미터쯤 되는 구체가 무릎 높이에 떠 있었다. 마치 마핵을 거대화시킨 것 같은 모양이었다.

—있다!

잠든 미아가 옥좌 위에 있었다.

그 옆에 낯선 금발 미녀가 미아를 살피고 있었다. 얼굴이 미아랑 비슷했다. 미아가 성장하면 이렇게 되지 않을까?

그러나 체형은 달랐다. 괘씸한 가슴이다. D 아니 E컵은 될지도 모른다.

아니, 지금은 그런 건 아무래도 좋고…….

내가 달려가는 것보다 빨리, 옥좌 옆의 악보 거치대 같이 생긴 장치를 손가락으로 조작하던 젠이 이쪽을 깨달았다.

"말도 안 되는!"

그는 놀라면서도 거치대를 조작하는 손을 멈추지 않았다.

"그렇다. 말도 안 되는! 이구나. 어떻게 내 그림자 감옥에서 빠져 나왔느냐! 그것은 너와 같은 저레벨이 어떻게 할 수 있는 것이 아니다."

놀랄 건지, 자랑할 건지, 바보 취급을 할 건지, 태도를 분명하게 해주면 좋겠다.

그림자 공간의 영향인지 다리가 조금 휘청거렸다.

"나는 빛의 부적이 있거든. 그림자 마법은 안 통해."

아차. 진실을 말할 셈은 없었지만 얼버무리는 것도 내용이 너무 대충이었다. 사기 스킬이 폭주했나?

"시련은 공정해야 한다. 편법은 용인할 수 없구나. 이 방에는 요람을 공략한 자만이 들어올 수 있다. 그것이 규칙이로다."

젠이 거기서 말을 끊더니 자기 말에 몇 번 고개를 끄덕였다.

"게임 마스터라도 되냐?"

데스 게임을 하고 싶으면 VR 게임에서 하라고.

"게임이라고 하다니 섭섭하구나! 분명히 이 요람에서는 사람이 죽지 않지만, 놀이가 아니다."

—사람이 안 죽어? 뭔 소리지?

"그리고 공략한 끝에 여기에 도달한 용사만이, 불사의 왕인 나를 토벌할 자격이 있도다."

이 녀석은 뭔 소리를 하는 거지?

요람을 공략해서 자기를 죽여달라는 건가?

나는 이 녀석 말에 살짝 뚜껑 열렸다. 그런 이유로 우리 애들이랑 미아한테 폐를 끼치고 점장도 공격한 거냐?

"죽고 싶으면 자살해. 남을 끌어들이지 말고."

"후하하하. 신들이 내린 축복이 있는 한, 나는 불사신이로다."

어째선지 젠의 말에 비꼬는 뉘앙스가 느껴졌다. 마치 「축복」이 「저주」라고 말하는 것 같았다.

조금 불쾌했지만, 이 녀석의 긴 이야기 덕분에 다리도 회복되었다.

40미터쯤 되는 거리를 순식간에 좁혀서 미아 앞으로 다가갔다. 미아 구출이 최우선사항이다.

내 손가락이 미아의 옷에 닿기 직전에, 조작판 위에서 움직이던 젠의 손이 멈추었다.

"그러면 이제 그만 주인의 방에서 퇴장해줘야겠구나."

◆

밟고 있는 발의 감촉이 달랐다.

무엇보다도 눈앞의 광경이 완전히 바뀌어 있었다.

갑자기 나타난 벼랑 끝에서 간신히 멈췄다. 땅을 파헤친 영향으로 발치의 땅이 무너졌지만 가벼운 백스텝으로 범위 바깥까지 피했다.

"여긴? 어디지?"

답하는 자도 없는 물음을 중얼거렸다.

아무래도 마법 같은 걸로 전이된 모양이다. 젠의 그림자에서 그림자로 이동하는 능력과는 다른 것 같은데, 대체 어디로 날아온 거지?

나는 눈앞에 펼쳐진 경치를 둘러보았다. 여기는 언덕 위였다.

눈앞의 절벽 아래에 세류 시가 몇 개는 들어갈 넓이의 분지가 있었고, 그 주위를 산들이 둘러싸고 있었다.

분지 바닥은 안개가 피어오르고 있어서 잘 안 보이지만, 미약하게 보이는 큰 나무들의 잎이 모두 떨어져서 말라붙은 가지를 쓸쓸하게 뻗고 있었다.

주위의 산들도 민둥산 같았고, 주변에는 짐승도 없었다.

나는 심호흡을 한 번 하고서 눈을 감았다.

눈을 뜨고 다시 한 번 경치를 보았다.

—아직, 있었다.

이번에는 눈을 감은 다음에 소수를 세어 마음을 진정시켰다.

결심하고 눈을 떴지만, 그것은 사라지지 않았다.

—역시 환상이 아니네.

분지 중앙에 버티고 선 거목을 보았다.

그냥 거목이라면 괜찮다.

말도 안 되는 게, 그 거목은 주위의 산들과 같은 높이였다.

"이건 세계수라는 건가?"

어째서 저렇게 큰데 나무 자체의 무게로 붕괴하지 않는지 신경 쓰였지만, 해명하는 건 후세의 연구자들에게 맡기고 할 일을 해야지.

세계수 같은 거목 옆에 「토라자유야의 요람」이는 AR표시가 떴다.

거목에는 거미줄처럼 실 같은 장식이 붙어 있었다. 가지에 가려서 잘 안 보이지만, 스케일을 봐서 저 실은 통로 같은 게 아닐까 싶었다.

내가 미아를 구출하기 위해 가야 할 장소는 저 거목의 안이다.

맵을 열어보니 여기는 「회색 쥐 수장국(灰鼠首長國)」이었다. 다행히 세류 백작령과 인접한 나라라서, 미아를 구출한 다음에 못 돌아가는 사태는 없을 것 같다.

모든 맵 탐사로 「회색 쥐 수장국」을 조사하여, 먼저 귀환 루트를 골라뒀다.

가장 가까운 쥐 수인족 취락까지 산 두 개는 넘어야 하니까 유성우를 쓰게 되어도 피해를 줄일 수 있겠네.

눈앞에 「요람」으로 이어지는 계단이 있었다. 아까 그 장소에서 조금 걸어갔더니 나왔다.

이 계단은 공중에 떠 있는 유리 같이 투명한 판이었다. 아마 마법이겠지만 지탱하는 것도 없이 공중에 떠 있다. 폭은 3미터쯤 되지만, 난간이 없어서 돌풍이 불면 계곡 바닥으로 추락할 것 같았다.

평소에는 발을 디디는 것도 주저하겠지만, 「공포 내성」 스킬을 유효화한 덕분인지 무섭지 않았다.

—이거 위험하네.

사건을 해결한 다음에 「공포 내성」 스킬을 꼭 무효로 바꿔야겠다.

경사가 거의 없는 유리 계단을 내려가는 도중에 날갯짓 소리가 들렸다.

그쪽을 올려다보자 벌 마물이 다가왔다.

아직 거리가 있어서 레이더에는 비치지 않았다.

맵을 열어 보니, 여기는 벌써 「회색 쥐 수장국」이 아니라 「토라자유야의 요람」 영역이었다.

곧장 「모든 맵 탐사」로 「토라자유야의 요람」의 정보를 조사했다.

접근하고 있는 벌 마물에 AR표시로 정보가 추가되었다.

종족은 「붉은 침 벌(크림슨 니들 비)」이고, 레벨 한 자리수의 잔챙이였지만 독이 있길래 접근하기 전에 스토리지에서 꺼낸 마법총으로 쏴 버렸다.

언제나 쓰고 있는 마법총은 해결사 건물에 두고 왔기 때문에, 이건 예비 총이었다.

맵에 표시되는 거목의 정보를 읽으면서 걸었다.

젠이 알면 「편법」이라고 할 것 같은데…….

거목의 줄기를 타고 올라가면 될 것 같았지만, 방금 전처럼 「요람」의 특수기능으로 전이되면 의미가 없었다.

지금은 상대편의 룰에 따르는 수밖에 없겠다.

토벌이 목적이라면 유성우를 쓰면 끝이지만, 미아를 무사히 데리고 나오려면 다소 고생하는 것도 어쩔 수 없었다.

"이건 뭐야?"

입구에 어엿한 문이 있었다.

그러나 입구 옆에 놓인 간판에 당황할 수밖에 없었다.

거기에는 엘프어로, 이 시설의 이름과 공략 룰이 쓰여있었다. 간판 아래에는 시가 국어를 비롯한 5개 언어로 주의사항이 쓰여있었다.

읽어 보니 아래와 같이 쓰여 있었다.

엘프를 위한 훈련시설이기 때문에, 엘프 말고는 생명보호 장치가 작동하지 않으니 주의할 것.

훈련소의 사용은 누구든지 제한하지 않지만, 자기책임이란 것을 명심할 것.

훈련소에서 다치거나 기물파손이 될 경우, 일체 보상하지 않는다.

엘프를 훈련시키기 위한 수목형 미궁 같았다.

생명보호 장치가 있다고 하지만 「요람」째로 파괴하면 안 되겠지? 시설이 무너져버리면 생명보호 장치가 미아를 지켜줄 것 같지 않았다.

젠은 사람이 죽지 않는 시설이라고 했지만, 놈이 엘프 말고 다른 종족도 대상이 되도록 확장했는지 조사할 방법이 없었다.

맵으로 보니 수목의 줄기 안에 미궁이 있는 게 아니라, 밖에서 보인 거미 소굴 같은 인공물이 훈련시설 본체 같았다.

두꺼운 외피나 줄기에 침식되어 있는 부분도 있었지만, 시설의 몇 퍼센트밖에 안 된다.

문을 통과하자 마물이 기다리고 있었다.

칭호에 「통로를 배회하는 마물(원더링 몬스터)」이 있으니까 잠복한 게 아니라 우연히 마주친 모양이다.

1미터쯤 되는 아귀 같은 모습의 마물이었다.

잔챙이의 대명사 고블린인가 했는데, AR표시를 보니 조금 달랐다. 「잡초 소귀(위드 고블린)」이라고 떴다.

아무래도 고블린을 모방한 잡초의 집합체 같았다.

앞차기를 먹이자, 가벼운 소리와 함께 풀이 흩어지며 쓰러져 버렸다. 레벨 1이니까 이 정도겠지. 하얀 마핵이 떨어졌지만 안 줍고 방치했다.

이 「요람」은 모두 200층인데, 10층을 한 단위로 삼아서 20개의 장대한 나선계단으로 위층과 이어져 있었다.

눈앞에 최초의 나선계단이 있고, 중간에 있는 8개의 문이 각각의 층 입구였다.

계단 앞에 있는 모뉴먼트에는 「제1호 대계단」이라고 쓰여 있었다.

대계단이 있는 커다란 홀에는 벽에서 몇 개의 가지가 뻗어 나왔고, 그 끝에 랜턴 같은 형태의 광원이 돋아나 있었다.

가지 끝에는 광원뿐 아니라 여러 가지 열매가 달려 있었다.

다만 가지 하나에 귤이나 배, 수박이 함께 달려 있어서 부자연스러웠다. 마치 SF에 나오는 과학자가 DNA를 디자인한 것 같았다.

대계단에서 이어지는 각 계층에 마물이 배치되어 있고, 위로 갈수록 마물의 레벨이 올라간다. 이건 입구에 써 있는 「훈련시설」이라는 말을 뒷받침했다.

이번 사건이랑 상관없이, 다음에 방문해서 우리 애들 훈련에 써보고 싶네.

대계단을 올라간 끝에 있는 10층의 문에는 9개의 구멍이 뚫려 있었다.

문 옆에 있는 검은 석판에 따르면, 각층에 있는 보스 몬스터를 쓰러뜨리고 얻을 수 있는 열쇠 구슬(키 오브)이라는 보옥을 끼우면 열린다고 한다.

젠은 부정했지만 완전히 RPG 게임처럼 보였다.

보옥을 끼우지 않고 문을 열려고 하면 「문의 수호자(게이트 키퍼)」가 나타나서 승부를 걸어온다고 한다.

이 「문의 수호자」를 쓰러뜨려도 문이 열린다고 하니 얼른 싸우기로 했다.

문의 노커를 두드리자, 문 앞의 바닥에 빛의 마법진이 생기더니 전신갑옷 차림의 기사가 출현했다.

AR표시를 보니 「살아있는 갑옷(리빙 아머)」이라는 마물이었다. 레벨이 10이니까 이 부근 마물과 비교하면 조금 강했지만 내가 보기에는 아까 그 고블린과 큰 차이가 없었다.

「살아있는 갑옷」이 내리친 한손 도끼를 피하면서 갑옷 한가운데에 아무렇게나 앞차기를 넣었다.

발끝으로 차면 아플 것 같아서 허리에 회전을 넣어서 발꿈

치로 파헤치듯 찼다.

"엑."

너무 셌다. 일격으로 쓰러뜨린 건 예정대로였지만, 갑옷이 생각보다 물러서 발이 갑옷을 등까지 관통해 버렸다.

넘어질뻔했지만 밸런스가 무너지기 전에 「살아있는 갑옷」의 몸을 스토리지에 수납하여 회피했다.

"……후우. 큰일날뻔했다."

창피한 걸 얼버무리듯 혼잣말을 하고서, 나를 초대하듯 열린 문을 통과했다.

다음은 거목의 반대쪽에 있는 20층까지 있는 대계단이었다. 정말이지, 컴퓨터 게임처럼 배치해놓기는.

—게임?

나는 달려가려다가 멈췄다.

기분 탓일지도 모르지만, 세류 시 지하에 마족이 만든 「악마의 미궁」과 달리 이 「요람」의 구조는 게임의 느낌이 강했다.

마치 가정용 게임기 RPG에 익숙한 인간이 만든 것 같았다.

—만약 그렇다면.

나는 맵을 열어서, 이 10계층에 범위를 한정(마스크)해서 마물을 검색했다.

—있다.

이 계층에서는 말도 안되게 레벨이 높은 존재다.

정면의 숨겨진 문을 통과하여, 배관 같은 통로를 따라서 넝쿨이 뻗어 나와 만들어낸 회랑을 나아갔다.

회랑 끝에는 고치처럼 모인 넝쿨이 2미터 정도의 옹이 같은 오브제를 만들고 있었다.

이 옹이 안에 내가 찾았던 녀석이 있었다.

아마 이 녀석이랑 승부해서 이기면 상층까지 지름길로 갈 수 있을 것이다.

고전적인 던전 게임을 좋아하는 녀석이 설계했다면 반드시 이런 기믹을 준비한다.

이런 강자를 문지기로 배치해서 약할 때는 지름길을 사용할 수 없게 만들고, 강해지면 문지기를 쓰러뜨려 지름길을 써서 던전의 심층부에 간단히 접근할 수 있도록 설계되는 것이 규칙이었다.

"숨어있지 말고 나와라."

내 말에 반응하여 옹이를 구성하고 있던 넝쿨이 풀리더니 녹색의 부드러운 빛이 흘러나왔다.

나는 문지기인 강자의 등장을 기다렸다.

"시끄럽네에. 마력이 부족해서 귀찮단 말야. 승부는 다음번에 해."

"미안하지만 그럴 수가 없어."

"아이참, 토야한테 일러줘야지. 절대로 안 봐줄 거야!"

안에서 나온 것은, 녹색 피부를 가진 5, 6세쯤 되는 어린 여자애였다. 신장의 두 배쯤 되는 녹색 머리칼을 바닥에 끌고 있었다.

—강자?

AR표시로는 레벨 21의 드라이어드라고 나왔다. 실제 연령은 자릿수가 많아서 읽을 생각이 안 들었다. 미아랑 비교해 훨씬 연상이었다.

드라이어드는 나른한 표정이었는데, 어째서인지 나를 눈부신 듯 본 다음 눈을 빛내면서 뛰어들었다.

해칠 생각이 없어 보이길래, 그대로 받아냈다.

“내 것이 돼라! 인간?”

“뭐야?”

뜻밖의 말에 얼빠진 대답을 해버렸다.

그리고, 어째서 「인간?」이라고 의문형이지? 레벨 310이 문제냐?

“미안하지만, 프로포즈라면 14, 5년 지난 다음에 해줄래?”

어째서 이런 어린애나 연하한테만 인기가 있는 거지?

가끔은 섹시한 누님 타입의 미녀한테 대쉬를 받고 싶어.

“배고프니까 밥 줘.”

“말린 고기밖에 없는데 그거면 되겠어?”

다른 식량은 리자한테 맡겨두었다.

세류 시에 돌아가면 식량이나 과자류를 이것저것 보충해 둬야지.

“인간의 음식은 필요 없어. 마력을 줘.”

AR표시로 보니, 드라이어드는 「매료」에 「흡정」, 「흡마」 같은 능력이 있었다.

영구적으로 MP가 감소하면 곤란하니까 확인했더니, 「아픈 건 처음뿐이야. 금세 기분 좋아져」하는 의미불명의 말을 했다.

다시 확인해 보니, 평범하게 마법을 썼을 때처럼 일시적으로 줄어들기만 하고 시간이 지나면 회복된다고 했다.

그런 거라면 마력도 쓸데없이 남아도니까 상관 없겠지.

"응? 안돼?"

"괜찮아, 어떡하면 되는데?"

"이렇게."

어린 소녀의 작은 손이 내 볼에 닿았다.

그 손으로 빨아들이나 했더니, 그대로 얼굴을 접근시켜서 키스를 해버렸다. 게다가 혀까지 넣어서 유린당했다.

보기에는 어린 소녀지만, 실제 연령이 높다는 걸 잊고 있었다.

10분 가까이, 제멋대로 당한 다음에 해방되었다.

"후우, 만족!"

윤기가 흐르는 만족스런 미소를 지으며 빈약한 가슴을 뽐내는 어린 소녀.

—잊자. 그래. 미친개한테 물렸다고 생각하자.

"답례로 회랑을 열어줄게! 쓸 거지?"

"그래. 부탁해."

다행이군. 이래 놓고 지름길이 착각이었으면 너무나도 아깝다.

빼앗긴 마력은 300 정도라서 몇 분이면 회복되니 상관없지만, 그것 말고 정신적으로 소모가 심했다.

나는 드라이어드가 열어준 마법의 회랑에 들어섰다.

〉칭호 「나무정령(드라이어드)의 포로」를 얻었다.

이 칭호는 내가 원한 게 아니다. 단호하게 거절하고 싶다.

◆

그곳은 마치 연구실 같은 장소였다.

입구의 문에는 「토라자유야의 방」이라고 써 있었다.

이 구역은 오랫동안 안 썼는지 곰팡이 같은 냄새가 났다. 바닥이나 벽은 돌이 아니라 나무 수지 같은 소재였다.

어쩌면 수액일지도 모르지만 리놀륨[#6]과 비슷했다.

이 구역에는 식당이나 목욕탕, 침실 등이 완비되어 있었다. 바닥에 쌓인 먼지를 보니 젠은 이 장소에 오지 않았나 보다.

연구실 겸 서재에는 수많은 책이나 메모가 있었다. 몇 십 년 경과했는지는 몰라도 책의 열화가 심했다. 몇 권의 마법서 말고는 손대면 부서질 것 같았다.

#6 리놀륨 아마인유(亞麻仁油)의 산화물인 리녹신에 나뭇진, 고무질 물질, 코르크 가루 따위를 섞어 삼베 같은 데에 발라서 두꺼운 종이 모양으로 눌러 편 물건.

어쩔 수 없이 스토리지에 넣어 메뉴를 경유해서 읽었다.

그리고 메뉴를 경유하면 검색도 할 수 있거든.

독서를 할 때가 아니라는 건 알고 있지만, 어쩌면 그 강제 배출 기능을 방해하는 방법이 있을지도 몰라서 책들을 훑어 보았다.

이 시설의 이름으로 어느 정도 예상은 했지만, 이 「요람」을 만든 사람의 이름이 토라자유야였다. 미아랑 같은 엘프니까, 아까 드라이어드가 말한 토야란 게 그가 틀림 없었다.

책은 모두 엘프어로 쓰여 있었다. 미아랑 대화하면서 엘프어 스킬을 얻지 않았으면 전혀 못 읽었겠군.

군데군데 잉크가 번져 있지만, 대충 속독으로 읽었다.

이 「요람」은 토라자유야 씨가 엘프들을 「안전」하게 육성하려고 미궁을 흉내 내어 만든 시설이었다.

수기를 보니 그의 고뇌랄까, 동족들에 대한 과보호에 가까운 염려가 적혀 있었다.

『—우리들 엘프는 삶에 대한 집착이 약하다. 큰 위기에 빠졌을 때 다른 종족에 비하여 놀랄 정도로 발버둥치지 않는다. 때문에 수많은 젊은이들이 죽고 말았다. 이 「요람」에는 엘프들이 목숨의 위험에 처했을 때 안전하게 탈출시키는 기능을 달아야 한다.』

그밖에는 미궁 핵이 아니라 「요람의 핵」을 갖추고 있다는 것. 미궁처럼 자가 증식하지는 않지만, 미궁처럼 주변 땅에서 마력을 빨아올려 마핵을 정제한다고 쓰여 있었다.

여기서 신경 쓰이는 문장을 발견했다.

『—처럼, 배양조에서 기존의 생물에 마핵을 깃들게 하여 인조 마물을 만드는 시설이 완성되었다.』

마물은 본래 평범한 생물인가?

분명히 지금까지 내가 싸운 마물은 보통 생물을 커다랗게 만들거나 기형이 된 느낌이었다.

아니, 움직이는 백골이나 불사의 마물도 있으니까 다 그렇지는 않네.

샛길로 빠진 사고를 되돌렸다. 이건 나중에 생각하면 된다.

토라자유야 씨가 시험 삼아 만든 보조시설은 세 개. 마물을 배양하는 시설. 작업용 골렘을 생산하는 시설. 신변을 보살펴 주는 시종 인형을 생산하는 시설.

다만, 마지막 시설은 근처 쥐 수인족의 협력을 받아서, 완성 직전에 그만두었다고 한다.

자료에 따르면, 마물들의 식량은 「요람」의 본체인 거목이 공급하는 수액이나 과실이었다. 바깥으로 사냥하러 갈 필요가 없으니 「요람」의 마물이 주변지역으로 흩어질 일은 없어 보였다.

그러나 「요람」이 완성된 다음에도 다른 엘프들이 찾아오는 일은 없었다.

그의 수기 마지막에 이렇게 쓰여 있었다.

『—고작 100년으로는 아무도 내 실패를 잊지 않은 모양이다.

내 긴 인생은 이제 곧 끝난다. 이 「요람」은, 훗날 내 동포들이 필요로 할 때까지 봉인하자. 엘프들이 세상을 이끄는 입장으로 돌아올 날을 믿으며. ―토라자유야 보르에난.』

성씨가 보르에난이라는 것은, 미아나 점장이랑 같은 씨족 사람이군.

아마도 미아가 필요한 이유는 이것이다. 그건 그렇고, 젠은 이 수기도 안 읽고 용케 봉인 푸는 법을 알았네.

결과적으로 여러 가지 정보를 얻었지만, 강제 배출을 무효화하는 방법은 없었다.

휘갈겨 쓴 메모에 「폭발은 로망이다」라는 게 있어서 조금 신경 쓰였지만, 안전한 육성을 노리는 시설에 자폭장치를 붙이는 바보는 없겠지.

이 구역에서 위층으로 올라갈 수는 없어서 일단 드라이어드가 있는 곳에 돌아가기로 했다.

◆

"어라? 어서 와?"

"그래. 다녀왔어."

넝쿨로 만든 침대에 드러누운 드라이어드가 데굴데굴 굴러서 이쪽으로 다가왔다. 두 손을 침대 바깥으로 내밀고 축 늘어뜨렸다.

"빨리 왔네. 혹시 뽀뽀를 더 하고 싶었어?"

"아니, 그건 사양할게. 그보다도 위층으로 가고 싶은데 통로 같은 거 없어?"

드라이어드는 재미없다는 듯 돌아눕더니 고개를 빙글 돌려서 「있어」 하며 방의 구석을 가리켰다.

거기에는 버섯이 고리처럼 심어진 화단 같은 장소가 있었다.

"그 요정의 고리(페어리 링) 가운데 서봐."

귀찮다는 기색의 드라이어드가 지시하는 대로 고리 가운데 섰다.

"어느 층까지 갈래?"

"가능하다면 요람 주인이 있는 장소까지."

"그건 무~리. 무리 무리야."

위아래 거꾸로 된 머리를 붕붕 휘두르는 드라이어드의 동작에 약간 짜증을 느끼면서, 갈 수 있는 가장 높은 층까지 가고 싶다고 부탁했다.

"응. 그러면 100층 『수호기사의 방』까지야. 거기 수호자는 강하니까 주의해."

"그래, 문제없어."

"그래. 한 번 따끔한 맛을 안 보면 모르는 게지."

내 말에 약간 어깨를 움츠리면서 노인네처럼 말하며 승낙했다.

"그럼, 간다. ■■■(액티베이트) 기동. 목표, 100층 『수호기사의 방』으로."

드라이어드의 주문이 끝나자, 요정의 고리가 빛나는 포자를 만들더니 회오리처럼 빛의 대롱을 만들었다.

빛이 사라지자, 나는 100층에 있었다.

물론 보내달라고 했지만, 갑자기 보스 방 안으로 보내는 건 너무하지 않나?

눈앞에는 앉아서 움직이지 않는 철마거인(아이언 골렘), 그리고 그 옆의 둥근 테이블에는 나무조각으로 피라미드 같은 것을 만들며 놀고 있는 미녀 세 사람이 있었다.

내 출현에 놀랐는지, 나무조각을 쌓으려던 거유 미녀가 나무 조각의 산을 무너뜨리고 상심한 표정을 짓고 있었다.

무심코 「미안」하다고 사과할 정도로 울상이었다.

일단 헛기침을 해서 얼버무렸다.

"잠깐 기다려, 라고 선언합니다."

미녀 한 사람이 이상하게 말하면서 나에게 손가락을 펼친 손을 내밀기에 수긍해 주었다.

긴 스트레이트의 머리칼과 차분한 분위기가 우등생 같은데, 말투가 엉망이다. 이른바 유감스런 미인이었다.

그녀들을 내버려두고 나아가고 싶었지만, 아래층으로 내려가는 계단밖에 없었다.

아마도 정규 수단으로 쓰러뜨리지 않으면 위층으로 갈 수 없는 원리일 것이다.

게임을 할 때는 눈치 못 챘는데, 현실에서 이런 상황을 강요하면 억지로 천장을 뚫어 지름길을 만들고 싶어지네.

참을성 없이 굴었다가 강제 배출 기능으로 다시 시작하게 되면 의미가 없으니, 마지못해 준비가 끝나기를 기다리기로 했다.

세 미녀가 미니스커트 복장 위에 검대를 차고, 레이피어 같은 세검을 찼다. 세검의 자루에는 장미 같은 조각 장식이 달려 있어서 예뻤다.

그녀들은 손발에 건틀렛과 그립을 장비했는데, 어째선지 가슴갑옷이나 투구는 장비 안 했다. 머리나 심장은 안 지키나?

내 의문도 모르고 장비를 마친 두 사람이 테이블을 홀 구석으로 운반하더니, 남은 한 사람이 골렘을 기동시켰다.

AR표시에 따르면 그녀들은 레벨 7의 마조인간(호문클루스)이다. 「이술(理術)」이라는 종족 고유 능력이 있고, 다들 「마력 조작」 스킬을 가지고 있었다. 칭호는 「젠의 인형」이었다.

신기하게도 모두 똑같은 세검을 장비했는데, 「한손 검」 스킬을 가진 건 한 사람밖에 없었다. 나머지 둘은 「긴 자루 무기(폴암)」 스킬이나 「창」 스킬이었다.

그녀들의 외견은 주인의 방에서 미아를 보살피던 여성들과 똑같았다.

분명히 호문클루스라는 건 연금술 같은 걸로 만든 마술적인 인공생명체였지?

일종의 클론 같은 존재니까 다들 같은 얼굴이겠지. 얼굴의

조형을 보니 기본 틀은 미아인가?

기동이 끝난 철마거인이 일어섰다. 4미터 가까운 크기였다. 이 골렘은 이상하게 볼트가 많이 박혀 있어서, 2차 대전 이전의 풍미가 느껴지는 모습이었다.

배치가 끝났는지, 선두의 여성이 세검을 뽑으며 한 번 휘둘렀다.

선두의 선 미녀가 어흠 귀엽게 헛기침을 하더니 입을 열었다.

"여기까지 잘 왔습니다. 탐색자 님."

완전 국어책 읽기다.

목소리는 이런 상황에서도 계속 듣고 싶을 정도로 좋은데 내용이 이래서야…….

"나는 상인인데."

"상인?"

미녀들이 동요하면서 서로 얼굴을 마주보았다.

얼마간 말없이 마주본 다음, 무슨 결론을 내렸는지 이쪽을 보면서 말을 이었다.

"—탐색자여! 잘 왔다고 찬사를 보냅니다."

탐색자로 밀어붙일 셈이군.

이상한 말투지만 국어책 읽기보다는 낫네.

"귀하에게는 수호자와 싸울 권리를 내린다고 선언합니다. 수호자를 어엿하게 쓰러뜨리면, 이 앞으로 나아갈 자격이 있음을 인정할 것을 승인합니다. 승자에게는 마스터께서 포상을 내릴 것이라고 확약합니다."

국어책 읽기보단 낫지만, 초등학교 학예회를 보는 기분이었다.

나는 김이 샜지만, 미녀는 시나리오대로 이야기를 진행시켰다.

"그러면, 싸우는 겁니다. 철거인이여, 봐줄 필요 없습니다."

긴 대사를 끝낸 미녀가 만족스런 표정으로 이쪽을 보았다. 뻐기고 있는 것 같아서 열 받네.

쿵쿵 소리를 내면서 다가오는 골렘은 박력 만점이었지만, 아무래도 느린데다가 조금 문제가 있었다.

"No.6, No.7, 신체강화를 하고 좌우로 전개. 포메이션Z로 간다."

처음에는 고대어의 번역인가 생각하여 흘려 들었지만, 미녀들의 대화에 명백하게 영어가 섞여 있었다.

토라자유야는 호문클루스 제조 시설의 개발을 멈췄으니까, 아리사랑 같은 전생자인 젠이 가르쳤겠지.

세 방향으로 흩어진 미녀들의 이마에 옅은 빛이 생겼다. 자세히 보니 이마 위에 500엔 동전 크기의 빛으로 이루어진 마법진이 생기고, 다음 순간에 상태가 「신체강화」로 변화했다. 이게 「이술」인가?

물론 극단적으로 강화되는 건 아닌지, 보통 사람보다 몇 배

나은 정도였다.

그녀들이 제 위치에 도착하는 것을 지켜보았다.

—노브라로군. 정말 발칙하다.

눈길이 끌리는 것도 어쩔 수 없는, 실로 훌륭한 약동감이었다.

미아를 잊고서 그런 바보 같은 감상을 품은 벌인지, 어느 틈엔가 골렘이 접근하여 주먹을 휘두르고 있었다.

앞으로 굴러 상대의 다리 사이로 빠져나가면 충분히 피할 수 있는 간격이었지만, 그럴 생각은 없었다.

나는 위력 게이지를 최대까지 올린 마법총으로 골렘의 이마에 있는「문자」를 쏘았다.

골렘의 이마에 굳이 알파벳으로「EMETH」라고 적혀 있길래,「E」를 파괴하여「METH」로 만들었다.

본래는 히브리어로 세 문자겠지만, 딱히 가짜(페이크)는 아니었는지, 이야기처럼 골렘이 멈췄다.「우리 세계의 이야기[#7]」처럼 말이다.

"말도 안 되는! 이라고 경악합니다."

"그러니까 약점은 감추어야 한다고 했음을 지적합니다."

"그보다도 우리들의 처신을 결정해야 한다고 주의를 환기합니다."

간단히 쓰러질 거라고 생각 못했는지, 세 방향으로 흩어진 미녀들이 당황하고 있었다.

#7 우리 세계의 이야기 골렘은 나날이 성장하기 때문에 결국에는 부숴야 하지만 emeth에서 첫 글자인 e를 지우면 저절로 부서져서 원래대로 단순한 흙덩어리로 돌아간다. 참고로 meth란 '죽음'을 나타내는 말이다.

그야 그렇겠지. 주요 전력이었던 레벨 30의 골렘이 간단히 파괴되고, 남은 자기들은 레벨 7이니까.

근데 다시 들어도 맑고 근사한 목소리다.

"No.5, No.6, 여기는 나에게 맡기고 먼저 가라고 선언합니다!"

"No.7! 너를 잊지 않을 것이며 후퇴를 시작합니다."

"먼저 가는 것이 아니라 먼저 후퇴하는 것이 아닌가 하고, No.7에게 딴죽을 겁니다."

일부러 사망 플래그를 세운 No.7이 신경 쓰이지만, 애당초 죽일 셈은 없으니까 괜찮겠지.

같은 얼굴로 일제히 이쪽을 돌아본 미녀들이 이마 위에 같은 빛의 마법진을 만들었다.

마법진 위에 유리처럼 투명한 「마법의 화살(매직 애로우)」이 나타났다.

"쏴라아!"

그녀들은 지휘관인 No.5의 호령에 맞추어 마법의 화살을 쏘았다. 애당초 견제였는지 맞는 걸 확인하지도 않은 채 No.5와 No.6 둘이 등을 돌리고 도주하기 시작했다.

두 사람이 벽에 걸린 로프 끝을 붙잡자, 기세 좋게 위층으로 끌려 올라갔다.

마법의 화살은 고속이지만 유도 기능은 없는지, 회피 스킬의 인도에 몸을 맡겨서 간단히 피할 수 있었다.

세검을 뽑고 덤벼드는 No.7의 공격을 가볍게 몸을 기울여 피한 다음, 완전히 뻗어진 그녀의 팔을 붙잡아 당기며 반대쪽 손바닥으로 공격했다.

성희롱을 주의해서 손가락을 아래로 향하는 것도 잊지 않았다.

기절한 No.7을 그대로 받아냈다.

부드러운 감촉에 의식이 몽롱해질 것 같았지만, 기절한 미녀를 쓰러지도록 방치할 수는 없으니 어쩔 수 없었다. 그래. 어쩔 수 없는 것이다.

이대로 끌어안고 있을 수도 없으니, 홀의 구석에 모피를 깔고 그 위에 눕혔다.

그녀들이 옷을 갈아입던 장소에는 여러 가지 무기나 마법약이 있었다. 마법의 두루마리도 기대했지만 그건 없었다.

마법약은 열 개 정도 있었다. 중급이 세 개에 하급이 여섯 개다. 남은 두 개는「마비 해독약: 만능(리무브 패럴라이즈 올마이티)」과 중급「마력 회복약(마나 포션)」이었다.

무기는 모두 맵시 있는 조각이 새겨져 있었고, 시세 스킬이 가르쳐 주는 가격도 상당했다.

모두 보통 강철제지만, 도끼창(핼버드)이나 칼날창(부지), 장창, 단창, 대검, 전투 망치(워 해머)까지 종류가 풍부하길래 적당하게 가져가기로 했다.

스토리지 안에 성검이나 신검 같은 강력한 장비가 있지만, 상급 마족 같은 걸 상대하는 것도 아닌데 일일이 칭호를 변경하는 것이 귀찮거든…….

대부분의 적은 마법총이나 격투로 충분하지만, 바퀴벌레처럼 만지기 싫은 타입의 마물에게 둘러싸였을 때를 위한 보험 삼아서 쓰고 버려도 아깝지 않은 무기가 필요했다.

등 뒤에서 희미한 소리가 나길래 돌아보자, 방의 중앙 부근으로 천장에서 나선계단이 내려왔다.

아무래도 무사히 승리조건을 만족한 모양이다.

마법약이나 무기를 재빨리 스토리지에 수납하고서 그쪽으로 갔다.

마핵은 회수하기 번거로워서 땅에 구르는 골렘을 그대로 스토리지에 넣어 버리고 나선계단으로 올라갔다.

마법진 앞에 있는 방은 아까 드라이어드가 있었던 곳처럼 넝쿨의 방이었지만, 약간 다른 점이 있었다.

똑같이 넝쿨의 고치 같은 게 있었지만, 넝쿨이 모두 말라 죽었고 고치의 침대에는 흙색의 마네킹 같은 시체가 누워 있었다.

그 시체의 명복을 빌고, 스토리지에서 꺼낸 「나락의 물주머니」로 공양 삼아 물을 부어 주었다.

이걸로 조금이나마 편안히 잠들면 좋겠군—.

"무울!"

"엥?"

하얗고 작은 손이 물주머니를 넣으려는 내 손을 붙잡아 작은 입으로 가져갔다.

흙 인형 같았던 얼굴이 물을 마실 때마다 변화했다. 불과 몇 분만에 마네킹에서 어린 소녀의 모습으로 바뀌어 버렸다. 그 모습은 아래층에서 본 드라이어드와 판박이였다.

"다음, 마력 줘어."

이 녀석들은 역시 드라이어드가 아니라 서큐버스 아닐까……?

"푸하."

수백 포인트의 마력을 빼앗고 만족한 드라이어드가 행복한 표정으로 술을 마신 중년처럼 한숨을 쉬었다.

"어라? 밑에 있는 나한테도 마력을 줬구나."

—밑에 있는 나?

의문이 들어서 드라이어드 2호에게 물어보았다.

"전부 난데? 인간처럼 개별적으로 갈라져 있는 게 이상해. 나무나 정령은 모두 이어져 있어. 마력이 없으면 연락 못하지만."

지구생명체설 비슷한 건가?

아마 마력을 써서 네트워크를 구축하는 균체 비슷한 거겠지.

깊게 파고들어서 물어볼 정도의 흥미는 없었다. 드라이어드 2호에게 위층으로 전이해줄 수 있는지 물었다.

"응, 좋아. 잠깐만 기다려—. 으~응. 아무래도 접속선이 끊어졌나 봐. 숲 마법을 쓸 수 있는 엘프가 있으면 어디든지 보내줄 수 있는데, 지금은 180층 이상은 무리 같아."

"충분하니까 부탁해."

"맡~겨두셔!"

어린 소녀가 가슴을 내밀며 자신만만하게 선언했다.

나는 요정의 고리로 건너가 180층으로 전이했다.

◆

"벌레?"

무심코 중얼거렸는데, 전이한 180층은 바닥이나 벽을 구성하는 나무들이나 넝쿨이 벌레에 먹혀서 참담한 상태였다.

아마도 이것 때문에 접속선이라는 것이 끊어진 거겠지.

주위를 둘러싸고 따닥따닥 송곳니를 부딪히며 소리를 내는 벌레 마물을 왼손에 든 마법총으로 쏘았다.

상대의 수가 많다 보니 이대로는 둘러싸여서 압살—은 레벨차이 덕분에 괜찮지만, 벌레의 체액을 뒤집어쓰겠지.

스토리지 안에서 도끼창을 꺼내 오른손에 들었다.

보기만 해도 묵직하지만, 근력이 높으니까 한 손으로도 휘두를 수 있었다.

도끼창을 다루는 스킬은 없었지만, 하늘소 같은 마물이 덤벼들길래 공격하니 긴 자루 무기 스킬을 얻었다.

폭 3미터쯤 되는 넓은 통로에서 도끼창을 춤추듯 휘둘러 마물을 살육하며 나아갔다.

딱히 싸움을 즐기는 게 아니다. 근력이 있어도 체중이 가벼우니까 도끼창의 중량을 제대로 제어하려면 춤추는 움직임이 되는 것이다.

중간부터 귀찮아졌다. 스토리지에서 꺼낸 암석을 던져 유린하고, 벗어난 소수를 마법총으로 처리하는 방침으로 바꾸었다.

벌레의 체액을 뒤집어 쓰는 게 싫어서 마핵을 회수하지는 않았지만, 다음 대계단에 도착하는 동안 100마리 이상 쓰러뜨렸다.

대계단 앞의 공간에는 더 많은 마물이 우글거리며 기다리고 있었다.

—기분 나쁘네.

그렇게 생각한 탓인지, 마물을 유린하는 암석에 힘이 너무 들어갔다.

마물들을 해치운 다음에 벽에 부딪혀 멈추나 싶었던 암석이 주변의 벽에 우지끈 비명을 지르게 만들며 거대한 구멍을 뚫어 버렸다.

아무래도 벌레에 먹히거나 썩어 들어간 탓에 외벽이 약해진 모양이다.

나는 기압 차이로 발생한 돌풍에 견디려고 가까운 벽에 난 넝쿨을 붙잡았다.

기류는 금세 진정되었고, 남은 적을 소탕하면서 벽의 구멍으로 향했다.

"상당히 경치가 좋네이네—."

이런 때가 아니라면 느긋하게 보고 싶은 경치였지만, 조금 위화감이 있었다.

처음에 들어온 입구의 반대쪽이 보이는데, 구멍 너머로 보이는 가지의 나뭇잎이 떨어지거나 변색되고 있었다.

위쪽에는 구름이 있어서 안 보이지만, 아래쪽을 보니 줄기의 외피가 벌레에 파 먹혀서 심하게 상해 있었다.

토라자유야가 남긴 자료랑 달랐다.

마물이 수목을 파먹을 필요가 없는 설계를 했을 텐데…….

기류에 겁을 먹었던 벌레들이 다시 다가오길래, 마법총으로 해치우면서 대계단으로 향했다.

190층 「문의 수호자」는 촉수 끝에서 얼음 탄환을 발사하는 말미잘 같은 마물이었지만, 도끼창으로 가볍게 쓰러뜨려서 인상에 남지 않았다.

문 너머에는 벌레 계통 마물이 없었고, 대신 작업용으로 보이는 목마병(우드 골렘)이 벌레 먹은 곳의 수복 작업을 묵묵히 하고 있었다.

나한테는 흥미가 없는지, 공격하거나 앞을 가로막지 않길래 무시하고 나아갔다.

◆

그 다음에는 큰 장애물 없이 주인의 방에 도착했다. 시간은

30분도 안 걸렸다.

함정도 있었지만, 목마병이 작업하려고 모두 정지시켜 놨기 때문에 어떤 함정이 있었는지도 확인 못했다.

주인의 방 안에서 젠이 기다리고 있었다.

옥좌에는 미아도 있었지만, 아직 정신을 잃고 있었다. 미아의 스태미나는 30%정도 회복됐지만, MP는 또 고갈 상태로 돌아가 있었다.

"설마, 이토록 빨리 여기까지 올 줄은 몰랐구나."

"그러냐?"

젠은 뜻밖이라는 듯 어깨를 으쓱거렸다.

상대가 경계하지 않도록 대화를 하면서 천천히 걸었다.

"가능하면 이대로 안 싸우고 미아를 돌려주면 좋겠는데?"

젠이 카카카 웃었다.

"아니, 그것은 안 될 일이구나. 너는 아이언 골렘을 쓰러뜨려 자격을 보이고 말았다."

젠의 혼잣말이 이어졌다.

"그러나, 나와 상대하려면 칭호가 부족하구나. 너는 이제부터 결코 이길 수 없는 난적과 싸워서 용사의 칭호를 얻어야 한다. 보수로 이 성검 쥴라혼을 주마."

젠이 칼집에 든 검을 들어 올렸다. 가느다란 원뿔 모양의 칼집에 들어 있었다.

AR표시를 봐도 성검 쥴라혼이니까 진짜인가 보다.

성검 쥴라혼의 이야기는 제나 씨에게 들었다. 분명히 시가 왕국을 건국한 임금님이 만든 성검이었지?

내가 가진 성검과 비교하면 성능은 대폭 떨어지지만, 보통 검이랑은 비교도 안 되는 물건이었다.

하지만 그런 국보급 성검을 어떻게 손에 넣었지?

"코앞에 당근이라도 매달겠다고?"

"그렇다! 이 잃어버린 쥴라혼을 국왕에게 헌상하면 원하는 만큼의 영예를 누릴 수 있다. 바란다면 귀족의 작위조차 손에 들어오겠지."

말만 들으면 내 욕심을 부추기려는 것처럼 들리지만, 후반의 대사에 짙은 모멸감의 뉘앙스가 담겨 있어서 「귀족의 작위」가 「개똥」처럼 들렸다.

그건 그렇고 이 녀석 생각을 알 수가 없네. 「요람」 바깥으로 강제 배출되기 전에도 들었지만, 정말로 자살하고 싶나?

"너와 싸울 상대는 그들이다."

젠이 말하자 그의 그림자가 방의 중앙까지 뻗었다. 그리고 그림자 속에서 철마거인 셋이 나타났다. 아까 전 골렘과 다르게 이마에 문자가 없었다. 아마 발견하기 어려운 장소에 새겼겠지.

더욱이 기둥 뒤에 숨어 있던 일곱 명의 미녀도 골렘 뒤에 섰다.

미녀들 사이에, 아까 도주한 No.5랑 No.6도 있었다. 모두 같은 얼굴이지만 머리모양이 다르니까 그럭저럭 구분이 된다.

일곱 명 있길래 「수호기사의 방」에 방치한 No.7도 있나 했더니, 대신에 No.8이란 미녀가 있었다. 다른 애들과 달리 가슴이 좀 빈약하다.

"그러나, 이래서는 그저 강적에게 죽음을 당할 뿐, 용사의 칭호는 사선을 넘은 다음에 있구나."

저 녀석한테 보이는 내 레벨은 10이다. 레벨 30의 골렘 셋을 이길 리가 없다고 보는 거겠지.

젠은 양손을 넓게 펼치고 하늘을 향해 말을 이었다.

"따라서 나는 신의 축복을 모두에게 내리마―. 한계 돌파(리미트 브레이크)."

◆

젠의 몸에서 분출한 보라색 오오라가 골렘이나 미녀들뿐 아니라 나까지 감쌌다.

이야기의 흐름을 봐서 강화마법 같았지만, 명백하게 적대하고 있는 상대가 베푸는 건 사양하고 싶어.

그 마음이 반영된 건지, 나를 감싼 보라색 빛이 사라져 버렸다.

로그를 보니 「한계 돌파」의 효과를 레지스트했다고 표시되었다.

딱히 아무 스킬도 못 얻은 이유는 젠의 고유 스킬이라서 그런가?

"그러면 멋진 사투를 기대하노라."

그렇게 말한 젠은 자기 앞에 있는 거치대 비슷한「요람의 핵」 조작판을 조작했다.

다음 순간에 옥좌의 방과 홀 사이에 벽이 생겼다. 맵으로 확인하니 그냥 벽이 아니라, 옥좌의 방이 있는 블록이 엘리베이터처럼 나무 위의 전망대로 이동해 버린 모양이다.

의식이 맵에 쏠린 나를 질책하듯 날아온 마법의 화살을 목을 기울여 피했다.

이어서 덮치는 마법의 화살을 지그재그 스텝으로 다 피했다.

—너무 많지 않아?

날아온 쪽을 보니 야차를 능가하는 형상으로 표정이 일그러진 미녀들이 있었다.

그러나 이상한 것을 표정만이 아니었다.

볼에 흐르는 눈물은 어째서 빨갛지?

왜 이상한 말투가 아니라, 상처 입은 짐승 같은 포효를 지르지?

—문자 그대로 한계를 돌파했다는 건가?

아무리 전투력이 올라도, 몸의 안전장치를 푸는 무모한 짓을 하면 파멸이 기다릴 뿐일 텐데…….

젠에게 이 미녀들은 그냥 도구일 뿐인가?

내 생각 따위 알 바 아니라는 듯, 골렘과 미녀들이 이동하기 시작했다. 「수호기사의 방」과는 비교가 안 되는 속도였다.

가만 보니 그녀들의 팔다리 위에는 몇 겹의 띠 모양을 한 마법진 처럼 보이는 빛의 고리가 회전하고 있었다.

아까 젠이 건 「한계 돌파」의 효과가 시각적으로 나타난 거겠지.

골렘들의 팔다리에도 미녀들과 같은 빛의 고리가 생겨 있었다.

하지만 자세제어 시스템이 강화를 감당하지 못하는지, 골렘들의 움직임이 어색했다. 언밸런스한 움직임 탓인지 당장이라도 넘어질 것 같았다.

처음으로 공격권까지 다가온 골렘 하나를 상대했다.

젠의 고유 스킬을 간파하는데 쓰고 싶지만, 비교대상이 될 법한 레벨 30의 와이번을 상대로도 대미지를 받은 적이 없어서 비교를 할 수 없었다.

밸런스를 무너뜨리며 공격해오는 골렘의 기세를 그대로 살려 등배지기로 던져버렸다. 간단한 작업이다.

하지만 그 방심을 찌르듯, 쓰러뜨린 골렘의 등 뒤에서 그 거대한 몸을 눈가리개(블라인드)로 이용하여 일곱 명의 미녀들이 마법의 화살을 쏘았다.

한 사람당 3개씩, 합쳐서 21개.

총알 같은 속도로 다가오는 마법의 화살을 회피 스킬이 가르쳐주는 대로 몸을 움직여 하나씩 피했다.

지금이라면 바로 앞에서 자동권총을 난사해도 피할 자신이 있었다.

그것까지 계산을 하고 있었는지, 모든 마법의 화살을 피하고 자세가 무너진 틈을 노려서 두 번째 골렘이 다가왔다.

옆으로 휘두르는 폭풍 같은 팔을 백스텝으로 회피했다.

그대로 일정한 거리를 유지하면서, 골렘의 한쪽 다리에 최대 위력의 마법총 탄환을 집중적으로 쏘았다. 세 발 정도 맞아 무릎이 파괴된 골렘이 머리부터 슬라이딩 하며 바닥에 골을 새겼다.

세 번째 골렘이 접근하기 전에 스토리지에서 꺼낸 단창으로 바닥에 쓰러진 두 번째 골렘의 다리를 때렸다.

〉「창」 스킬을 얻었다.

재빨리 창 스킬에 포인트를 분배하고, 자유롭게 쓸 수 있게 된 단창을 눈앞에 접근한 세 번째 골렘에게 투척했다.

금속이 마찰하는 딱딱한 소리를 남기고 단창이 사라졌다.

골렘의 가슴에 구멍이 뚫리고, 마치 보이지 않는 거인의 주먹에 맞은 것처럼 뒤로 날아가 버렸다.

골렘의 등 뒤에 있던 벽에도 커다란 구멍이 뚫렸다.

혹시 내가 던진 단창이 지나간 자국인가?

—바보 같은 위력이네.

두 번째가 일어서서 첫 번째와 겹치는 라인에 들어온 순간을 노려서, 다음 단창을 꺼내 투척했다. 효과는 확인할 것도 없었다.

레이더의 광점이 사라지는 걸 시야 구석으로 확인하면서 등 뒤에서 덤비는 광점에 의식을 집중했다.

호문클루스의 홀수 멤버 셋이 일직선으로 나란히 돌격했다.

그리운 명작이 생각나는 대열이지만, 젠이 장난삼아 시키는 게 아니란 것을 그녀들의 장비를 보고 알 수 있었다. 선두는 커다란 방패와 세검(레이피어), 두 명째는 칼날창, 세 번째가 긴 자루 도끼(폴 액스)였다.

아마도 첫 번째가 내 공격을 막고 남은 둘이 좌우에서 리치가 긴 무기로 반격하는 거겠지.

방패 뒤에 온몸을 숨긴 미녀가 「수호기사의 방」에 있던 No.7의 두 배에 가까운 속도로 돌격해왔다.

내 공격범위까지 왔을 때, 조금 앞으로 기울어진 방패를 가볍게 차올렸다.

자세가 무너져 엉덩방아를 찧은 방패 미녀의 등 뒤에, 예상대로 좌우로 갈라져 공격하려던 칼날창 미녀와 긴 자루 도끼 미녀의 모습이 보였다.

여기서 방패 미녀를 무력화할 셈이었지만, 두 사람의 지원이 생각보다 빨랐다.

원심력으로 휘두르는 긴 자루 도끼를 손으로 비껴내어, 반대쪽에서 공격해오는 칼날창과 부딪히도록 유도해 튕겨냈다.

그 상태에서 긴 자루 도끼를 억지로 끌어당겨 딸려온 미녀에게 무릎 차기를 때려 박아 기절시켰다. 너무 셌는지, 미녀의 몸에서 뼈가 삐걱대는 소리가 들렸다.

조심해서 힘을 빼지 않으면 큰 부상을 입힐 것 같았다.

기절한 미녀에게서 뺏은 긴 자루 도끼의 자루를 써서, 칼날창을 고쳐 쥐는 미녀의 턱을 후려 의식을 빼앗았다. 금세 눈뜨지 못하도록 긴 자루 도끼의 자루 끝으로 가볍게 찔러서 기절시켰다.

—나머지 다섯 명.

골렘의 잔해를 차폐물(블라인드) 삼아서 짝수 멤버 넷이 접근했다.

일어선 방패 미녀를 먼저 처리하려고, 방패를 긴 자루 도끼날로 때려서 자세를 무너뜨렸— 어라?

그 시도는 결론적으로 실패했다.

긴 자루 도끼의 참격이 너무 날카로웠는지, 같은 강철제인데도 방패의 윗부분을 가볍게 잘라버렸다.

방패 옆에서 튀어나온 세검의 연속 공격을 회피했다.

이렇게 거리가 가까우면 자루가 긴 무기는 쓰기 어렵다.

방패 미녀는 귀찮으니까 나중에 처리하고, 그 뒤에서 다가오는 네 명에게 의식을 집중했다.

모습이 보이지 않아서 레이더의 광점을 의지해 움직임을 쫓았다.

그때 방패 미녀의 등 뒤에서, 격투 게임 캐릭터 같은 움직임으로 도약한 다른 미녀가 전투 망치를 휘둘렀다.

2차원 레이더를 보고 있느라 설마 위에서 올 거라고 생각 못한 탓에 아주 약간 대응이 늦었다.

그 탓에 긴 자루 도끼로 전투 망치를 받아내는 사이에 틈이 생겨서, 그걸 노리고 이번에는 대검의 미녀가 방패 미녀의 옆을 돌아서 공격해왔다.

다들 얼굴이 같아서 참 성가시다. 무기가 다른 게 그나마 다행이네.

미녀가 대검을 두 손으로 잡아 옆으로 휘둘렀다.

이대로는 무방비한 몸통에 대검의 직격을 받게 된다.

—보통은 그렇다.

발치를 짓밟아서 바닥재에 구멍을 뚫고, 파고들어간 발을 억지로 휘둘러 바닥재를 눈가리개 삼아 차올렸다.

견제를 하려고 한 건데 벗겨진 바닥 면적이 생각보다 넓어서, 대검 미녀를 바닥째로 차올려 공중으로 날려 버렸다.

방바닥 뒤집기 이세계 버전, 인가?

그러나 쓸데없는 감상을 품을 틈도 없이 다음 공격이 덮쳤다.

살짝 뛴 방패 미녀의 발 아래로 미끄러져 들어온 단창 미녀가 아래쪽에서 날카로운 찌르기를 했다.

평범하게 회피하기에는 자세가 너무 무너져 있었다.

나는 발목 힘만으로 몸을 도약시켰다. 부족한 기세는 방패 미녀의 어깨를 붙잡아 끌어서 보충했다.

자세를 바로잡은 전투 망치 미녀의 타격이 공중에 있는 나를 다시 습격했다.

나는 방패 미녀의 어깨를 손으로 짚고 공중으로 날아올라, 전투 망치의 공격을 간발의 차이로 피했다. 천장에 착지한 나에게 가장 늦게 도착한 곡도 미녀가 쏜 마법의 화살이 날아왔다.

—정말이지. 너무 바쁜데.

나는 천장을 차서 마법의 화살을 피하고, 그대로 두 손으로 착지하여 브레이크댄스를 추듯 다리를 휘둘러 전투 망치 미녀와 단창 미녀의 의식을 빼앗았다.

내 차기를 방패로 막아낸 미녀가 뒤로 넘어져 굴렀다. 방어력이 높은 상대는 성가시네.

—나머지 셋.

바닥재를 헤치고 부활한 대검 미녀가 이쪽을 노려보며 절규했다.

붉게 물든 두 눈뿐 아니라 귀나 코에서도 붉은 액체가 흘렀다. 이제 그만 몸이 위험하다. 그녀의 체력 게이지가 대략 반 정도까지 줄었다.

그녀의 이마에 나타난 마법진이 기괴한 보라색 빛을 띠면서 커졌다.

마법진이 농구공 사이즈의 직경으로 확장되고, 범상치 않은 수의 마법 화살을 만들어냈다. 아까 쏜 것의 다섯 배다.

그녀의 마력 게이지는 제로인데, 어째선지 마법의 화살은 끊이지 않았다.

몸의 부담이 상당히 큰지, 이쪽으로 내민 팔의 손가락 끝까지 혈관이 부풀어 있었다.

제1사를 지그재그 궤도로 피하고, 땅에 떨어진 두 번째 골렘의 다리에 손가락을 박아서 들어 올려 방패 대신 썼다. 그걸로 끊이지 않는 마법의 화살을 막으며 대검 미녀에게 접근했다.

방패로 쓰는 다리가 격돌하기 직전에, 미녀가 하늘로 뛰어 대검을 휘둘렀다.

반사적으로 골렘의 다리를 놓고, 반대쪽 손에 쥐고 있던 긴 자루 도끼로 대검을 받아내려고 했다.

—안 좋은 예감이 드는데.

그것이 「긴 자루 무기」 스킬에 따른 것인지, 그것 말고 다른 스킬에 의한 것인지는 모른다.

그러나 그 예감 덕분에 긴 자루 도끼째로 대검에 베이는 걸 면했다.

〉「위기 감지」 스킬을 얻었다.

둘로 갈라진 긴 자루 도끼를 양손에 들고 뒤쪽으로 피했다.

뒤에서 전선으로 복귀한 방패 미녀가 접근하고 있었다.

접근은 알고 있었지만 세검으로 공격할 거라고 생각한 탓에 방패 공격(실드 배쉬)을 피하지 못했다.

트럭에 치인 것처럼 공중으로 날아오른 나를 대검 미녀의 폭풍 같은 참격이 덮쳤다. 덤으로 곡도 미녀가 옆에서 팽이처럼 회전하는 의문의 기술로 공격했다.

보통은 못 피하지만, 포기하면 끝장이다.

현재 위치와 내가 취할 수 있는 수단, 미녀들을 죽이지 않고 무력화하기 위한 방법을 몇 가지 생각했다.

순식간에 이렇게 여러 가지 생각을 할 수 있는 건 이상하게 높은 지력 덕분이겠지.

양손에 든 긴 자루 도끼의 잔해로 대검의 측면을 때려서 파괴하고, 그 파편으로 곡도 미녀의 발치 바닥재를 분쇄했다.

〉「무기 파괴」 스킬을 얻었다.

밸런스가 무너진 팽이가 넘어지는 것처럼 곡도 미녀가 바닥에 넘어졌다.

부서진 대검으로 공격하는 미녀를 다른 한 손에 든 자루의 잔해로 때려서 흘렸다. 더욱이 그 기세를 이용한 돌려차기로 대검 미녀를 기절시켰다.

—나머지 두 명.

넘어져 있던 곡도 미녀는 나중으로 미루고, 방패 미녀에게 의식을 집중했다.

이 아가씨도 온몸의 모세혈관이 파열됐는지, 피부나 옷이 새빨갛다.

거기다 체력 게이지 수치가 위험하네. 기절시키는 충격으로 곧장 저세상에 가버릴 레벨이었다.

어쩔 수 없지. 왼손에 든 자루를 버리고 상대의 세검에 집중했다.

고속으로 찔러오는 세검을 되돌리려고 정지하는 한 순간을 노려서 칼날을 두 손가락 사이에 끼우고, 이상하게 높은 근력으로 상대의 손에서 빼앗았다.

〉「진검 칼날 잡기」 스킬을 얻었다.

무기를 빼앗기자 동요한 방패 미녀의 방패에 손을 올리고, 방패와 상대의 몸 사이에 억지로 공간을 만들었다.

방패 미녀는 자유로운 팔로 내 공격을 가드하려고 했지만 이미 늦었다.

잽처럼 뿜은 가벼운 펀치가 방패 미녀의 의식을 빼앗았다.

남은 곡도 미녀를 쓰러뜨리려고 돌아봤더니, 넘어졌을 때 자폭했는지 이미 정신을 잃었다.

전투 종료를 확인한 것처럼 옥좌의 방으로 이어지는 회랑이 열렸다.

이대로 방치하면 미녀들의 목숨이 위험했기 때문에, 「수호자의 방」에서 얻은 체력 회복용 마법약을 모두 써서 그녀들의 상처를 치료했다.

미아에게 쓸 보험으로 하나 정도 남기고 싶었지만, 절약했다가 누가 죽기라도 하면 마음이 아프니까 통 크게 써버렸다.

거유 미녀를 개죽음 시키는 게 싫은 마음도 있었지만, 그보다도 주인이 쓰고 버리려고 한 그녀들을 동정했다.

나는 회랑에 들어가 젠이 바라고 있던 칭호로 바꾸었다.

◆

젠의 박수 소리가 홀에 울렸다.

"근사하구나. 어서 오시게, 새로운 용사여."

젠이 조종하는 그림자가 성검 쥴라혼을 나에게 운반했다.

"네 목적은 용사야?"

"그렇다."

"그럼 이렇게 번거로운 짓을 하지 말고 사가 제국에 가면 되지 않아?"

내 목소리가 험악해졌다.

미녀들의 피투성이 모습에 충격을 받아서 좀 거칠어졌다.

"흠. **파리온의 용사** 말이군. 내가 찾아갔을 때는 이미 **송환**된 다음이었구나."

"다음 대가 있잖아?"

"벌써 그런 **계절**이 되었던가? 그러나 시기가 안 좋구나."

"무슨 뜻인데?"

"설명해도 이해 못한다."

대답할 생각이 없는 것 같았다.

나는 문답을 하면서 마음을 진정시켰다.

"야 마술사— 아니면 불사의 왕이라고 불러줄까? 너 정말로 그냥 죽고 싶은 거냐?"

"그 대답은 긍정이며 부정이구나."

"『선문답』은 싫어하거든."

그 대답을 들은 젠이 제정신이 아닌 것처럼 웃었다.

후드의 그림자 속에서 보라색 불꽃 둘이 미친 듯이 흔들렸다.

"크하하하, 그렇군. 그랬구나. 네놈은 용사의 후예가 아니라, 신국에서 초빙된 자였던가?"

"그런 나라 몰라."

아니, 2차 대전 이전이나 전시에는 일본을 그런 이름으로 불렀던 것 같기도 한데.

"카카카카. 얼버무려도 의미가 없다. 네놈은 무자비한 신에게 무엇을 빌고, 무엇을 구하고, 무엇을 소망했느냐!"

"아무 것도 안 했는데."

정말로 만난 적도 없다니까.

"굳이 따지자면 휴식이 필요하다는 거?"

그거라면 자주 빌었지.

"후하하하, 참으로 무욕하구나. 그야말로 용사에 걸맞구나."

"넌 뭘 빌었는데?"

그래, 그리고 어째서 너는 인간이 아닌 건데?

"알고 있지 않느냐? 보이지 않느냐? 그렇다. 나는 밤의 왕이며 불사(이모탈)의 존재. 전능한 신에게 바란 것은 죽지 않는 몸, 굶지 않는 생활, 부조리한 폭력에 저항하는 힘이었도다."

"그래서 그런 몸으로 환생한 거냐……?"

젠은 팔을 옆으로 벌린 채 웃음을 멈추고 고개를 저었다.

"그것은 과한 생각이로구나. 신은 나를 건강한 아기로 전생시켜 주었다. 그리고 존경스런 좋은 부모에게 키워지고, 나에게는 아까운 아름답고 기특한 반려와의 만남까지 준비해 주었다."

그럼 왜?

"내 새로운 인생에 너무나 익숙해진 것이지. 전생에서 그만큼이나 부조리한 폭력에 빼앗겼는데도, 이번 생은 다를 것이라 생각하고 말았구나."

젠이 후드를 벗었다.

백골 같은 얼굴을 장식하는 보라색 불꽃 두 개가 눈구멍 안쪽에서 타올랐다.

"내 처를 눈독 들인 귀족이 나를 투옥시키고 근거 없는 죄로 처형시켰다. 신의 축복을 통해 이 모습으로 되살아난 내가 본 것은 성문 앞에 늘어선 부모님을 비롯한 일족들의 대답 없는 머리. 그리고 그 아래, 부서진 인형처럼 널부러진 처의 시체였도다……."

그의 하얀 볼에는 눈물도 없었다.

그 대신 눈구멍에서 분노의 보라색 불꽃이 흘러 넘쳤다.

"연민은 불필요하구나. 나는 일족의 시체를 불사의 괴물로 바꾸어 똑같은 처지로 죽어간 수많은 자들의 시체와 함께, 당시 최고의 권세를 뽐내던 그 귀족을 모두 토멸했느니라."

눈물이 흐를 리 없었다. 그는 백골이니까.

"복수를 마친 나는 처가 기다리는 내세로 떠날 셈이었도다. 그러나 신의 축복이 그것을 용납하지 않았구나. 성직자의 정화(턴 언데드)로도, 고생 끝에 손에 넣은 성검으로도 나는 죽을 수 없었다."

그가 말했다. 「그야말로 신의 축복(저주)」이었다고.

"용사여, 그대는 강하다. 욕망(힘)에 빠지지 않는 강함이구나. 그러나 잊지 말거라. 사람은 나약하도다. 귀하와 함께 있던 소녀가 소중하다면, 신이 내린 그 힘을 남용하지 않도록 주의하거라."

해결사에서도 비슷한 충고를 받았었던가?

“이 힘은 사람에게는 과분하다. 나와 같은 말로를 따르지 않도록 해라…….”

“—충고 감사히 받을게.”

나는 그의 말을 가슴에 새겼다.

“자, 용사여. 할 말은 모두 끝냈다. 나에게 마지막 일격을! 하다못해 마음까지 마왕이 되기 전에 나를 멸하여 주게나.”

마술사 젠, 아니 불사의 왕 젠이 말했다.

그 광기를 품은 말에 휩쓸린 것처럼, 나는 성검 쥴라혼을 뽑았다.

뒤틀린 드릴 모양의 칼날을 가진 신기한 검이었다.

그 검을 한 번 기도하듯이 들고, 불사의 왕 젠에게 혼신의 찌르기를 했다.

“크하, 크하하하. 에나, 나의 반려 리루티에나여. 이번에야말로 그대 곁에…….”

젠의 몸이 모래처럼 무너졌다.

뒤늦게 땅에 퍼지는 로브.

마지막에 「감사한다」는 희미한 소리가 들렸다.

〉칭호「불사왕 살해자」를 얻었다.

〉칭호「요람의 답파자」를 얻었다.

◆

“키득키득, 실패했네.”

“응. 실패했다.”

젠이 무너진 자리에서 보라색의 작은 빛이 두 개 떠올랐다.

“안녕, 용사.”

“네가 이겼어.”

빛에서 사악한 기운이 느껴져, 반사적으로 성검 쥴라혼을 휘둘러 베었다. 그러나 빛은 한 번 흩어지기만 할 뿐 다시 모여서 하늘로 올라갔다.

“또 만나.”

“또 봐.”

이윽고 빛은 천장을 통해 사라져 버렸다.

◆

천사인가? 그런 것치고 엄청 사악한 느낌이었다.

하지만 그것을 느긋하게 생각할 시간이 없었다. 왜냐하면—.

『시스템 메시지, 본 「요람」의 자가붕괴 시퀀스가 실행되었습니다. 직원 및 훈련생은 즉시 탈출해 주십시오. 반복합니다.』

—이런 방송이 들렸으니까.

나는 미아 곁으로 급히 다가갔다. 아직 기절해 있는 미아에

게 마력 회복약을 먹였다. 시험해본 약이 아니라서 3분의 1씩 먹였다—. 한 병을 다 마시자 눈을 떴다.

"미아, 나 알겠어?"

"……오빠?"

아니지.

미아는 흐릿한 눈동자의 초점을 맞췄다.

스태미나 회복이 부족해서 눈동자에 힘이 없었다.

"여기는?"

"『토라자유야의 요람』 옥좌의 방이야."

내가 말하자 미아가 잘 안 움직이는 몸을 채찍질하여 젠의 모습을 찾았다.

"괜찮아. 그는 이제 없다. 다시는 네 앞에 나타나지 않을 거야."

"정말로?"

"정말로."

느긋하게 이야기를 할 상황이 아니었다.

『자가붕괴 시퀀스가 실행되었습니다. 직원 및 훈련생은 즉시—』

얼른 멈춰야지.

"미아, 이 「요람」의 자폭 막을 수 있니?"

"해볼게."

다리에 힘이 안 들어가는 미아를 안아서 조작판까지 데리고 갔다.

잠깐 몇 가지 조작을 시험해본 미아가 금세 고개를 옆으로 저었다.

"무리."

포기가 빠르네.

토라자유야 씨의 한탄이 이해된다.

미아 대신 조작판을 만져봤다. 엘프어로 적혀있지만 문제는 없었다.

터치패널처럼 조작해서 필요한 부분을 찾았다.

—있다.

나는 세부 정보를 체크하고 혀를 찼다.

"사토?"

"아아, 미안. 괜찮아. **미아는** 탈출할 수 있으니까."

젠도 미아를 희생시킬 셈은 없었는지, 미아를 대상으로 탈출용 전이설정을 해두었다.

다만, 그것 말고 모든 기능이 잠겨 있었다.

미아랑 붙어 있으면 같이 전이할 수 있긴 하지만, 그러면 계단 아래의 미녀들은 그렇다 치고 「수호기사의 방」에 방치한 No.7을 구할 수가 없었다.

기껏 안 죽이고 제압했는데 이런 일로 거유 미녀를 죽게 만들면 안 되지.

전이 시작 타이머만 설정을 변경할 수 있길래, 1분 뒤로 설정을 고친 다음에 미아를 안고서 계단 아래로 내려갔다.

메뉴의 카운트다운 타이머도 거기에 맞춰서 설정했다.

이건 지원마법(버프) 따위의 재영창(쿨다운 타임) 시간을 관리하는데 쓰는 편의 기능이었다. 수수하지만 전작의 후방지원 타입 유저들에게 절대적인 지지를 얻고 있었다.

"미아, 잘 잡아."

"응."

미녀들의 손을 모아 미아에게 쥐어줬다.

미아가 손을 떼지 않도록 미녀들과 미아의 손을 가죽 끈으로 고정했다.

"또 한 사람 구해야 돼."

"사토."

미아가 나약한 움직임으로— 그래도 필사적으로 내 행동을 비난했다.

카운트다운 타이머를 확인하면서 미아의 머리카락을 쓰다듬었다.

"괜찮아, 안 죽어."

—남은 시간 15초.

"약속할게."

"약속이야, 약속했어! 안 지키면 안돼, 지켜야 돼? 절대로."

미아가 떨리는 혀를 혹사하여 말했다.

—남은 시간 3초.

"그래, 반드시 살아서 돌아갈게."

전이로 사라지는 미아에게 힘차게 고개를 끄덕여 주었다.

—자살하는 취미는 없다. 반드시 살아 돌아간다.

◆

나는 성검 쥴라혼을 손에 들고 알현의 방을 뛰쳐나갔다.

미아의 탈출이 트리거가 되었나 보다. 그녀들이 탈출하는 것과 동시에, 「요람」의 자가붕괴 시스템이 발동해 버렸다.

통로를 구성하는 넝쿨이나 벽면이 하얗게 물들어 있었다.

무너질 것 같은 장소는 함정 감지 스킬이 가르쳐주니까 그것을 피하면서 날 듯이 회랑을 나아갔다.

첫 번째 대계단을 내려가는 동안 천장이 하얗게 변해 떨어졌다.

진로를 막으며 떨어지는 것들을 날아 차기로 제거했다.

"짜!"

—이 하얀 거 소금인가?

입 안으로 들어온 소금 파편을 침과 함께 뱉었다.

약간 버릇이 나빠 보이지만, 뭐라고 하는 사람도 없으니까.

평범하게 계단을 쓰면 시간이 너무 걸린다. 나선계단을 지탱하는 굵은 기둥을 따라서 뛰어내렸다.

평소의 나는 절대 못할 짓이지만, 공포 내성이 겁쟁이의 마음을 억눌러 주었다. 중간에 성검을 기둥에 꽂아서 낙하속도를 늦추었다.

성검이 부러지지 않고 제 역할을 다한 덕분에, 남아 있던 8층 분량의 나선 계단을 지름길로 주파했다.

눈앞에 뚫려 있는 외벽의 구멍을 향해서 달려가, 테두리 부분으로 나아갔다.

행동하기 전에 아주 조금, 아주 조금 망설여 버렸다.

한 번 심호흡을 하고 공포를 억눌렀다. 공포 내성이 있어도 간단하지 않았다.

나는 뜻을 굳히고 발을 디뎠다.

—방금 전처럼 다이빙하기 위해서다.

바깥에서 누가 보면 자살지망자로 보이겠지만, 제대로 계산을 하고서 행동했다.

나무껍질에 생긴 옹이나 갈라진 곳을 디디며 고속으로 아래를 향했다.

거목의 줄기에서 멀어지면 그대로 아래까지 추락할 것 같았지만 그 걱정은 없었다.

스케일이 크기 때문에 그런 걱정은 할 필요 없었다.

옹이나 갈라진이 틈 벼랑이나 거대한 바위 사이즈였다. 다소 멀어져도 100미터도 안 지나서 튀어나온 곳이 나왔다.

평범한 사람이라면 그 높이도 위험하지만, 세류 시에 도착하기 전에 실험을 해본 높이니까 괜찮았다.

스카이 다이빙이나 제트 코스터에 가까운 흥분과 스릴을 만끽하면서 100층 「수호기사의 방」까지 내려왔다.

"진짜 이럴래—."

낙하에 가까운 속도로 내려왔기 때문에, 상부의 소금화에 말려들려면 시간 여유가 있을 줄 알았는데…….

"—뿌리 부근까지 같이 무너지고 있잖아."

방금 전까지 날고 있어서 몰랐는데 거목의 뿌리 부근이 무너져서 땅을 향해 가라앉는 진동이 전해졌다. 아마 뿌리 부근에서도 소금화가 진행되고 있겠지.

이대로는 내가 예정한 수단을 못 쓸지도 모른다.

하지만 뭐, 어떻게든 되겠지.

나는 「수호기사의 방」 외벽을 성검으로 베었다. 이번에는 쥴라혼이 아니라 성검 엑스칼리버였다. 쥴라혼은 절단하기 위한 모양이 아니라서 넣어 두었다.

상급마족을 베었을 때 사용한 신검도 대단했지만, 성검 엑스칼리버도 만만찮았다. 무시무시한 절삭력이다.

나는 아무런 저항도 없이 외벽을 베어내고 「수호기사의 방」으로 침입했다.

아직도 기절해 있는 No.7을 짐짝처럼 어깨에 메고 달렸다.

그러나 내가 가는 곳은 **아래층이 아니었다**.

"—있나!"

"이써허~."

내가 부르자 얼빠진 목소리로 대답하는 드라이어드 2호.

그 목소리는 태연했다. 거목의 붕괴로 죽는 것을 두려워하는 기색이 없었다.

"우리를 이 거목 바깥으로 보낼 수 있어?"

"무리."

아주 가볍게 대답해 버렸다.

괜찮다. 이 상황도 예상하고—.

"하지만, 촉매용의 씨앗이랑 마력을 더 주면 분지에 있는 고목의 옹이로 보내줄 수 있어."

—있었지만, 드라이어드 2호의 싱글벙글하는 웃음이 그럴 필요 없다고 부정해 주었다.

마력은 문제없다. 그보다는 씨앗이네.

"씨앗은 뭐든지 되나?"

"응. 끊어진 접속선을 억지로 잇는 매개니까 식물의 씨앗이라면 뭐~든지 돼."

중간에 본 과실을 따두면 좋았을 것을.

아까 「수호기사의 방」에는 없었지만, 한 층 위에 가면 있겠지.

—아니, 좋은 게 있었다.

"이 씨앗으로 괜찮으면 해줘."

"잠깐만……. 씨앗은 그거면 되는데 아까 세 배 정도 마력이 필요한데? 말라 죽어도 나는 몰라?"

세 배라면 1,000 포인트쯤 되나?

이미 모두 회복 됐으니까 3분의 1 정도 마력이라면 괜찮다.

"문제없어. 부탁해."

"조~아."

나는 스토리지에 넣어두었던 손수건으로 감싼 나무 열매를 드라이어드 2호에게 건넸다. 전에 수인 아이들에게 받은 열매였다.

드라이어드 2호는 나무 열매를 한꺼번에 삼키더니 나에게 손을 뻗었다.

쭈우 소리가 날 것 같은 느낌으로 내 입술을 빼앗더니, 무시무시한 기세로 마력을 빨아들이기 시작했다.

마력이 소비되자, 빈혈 비슷한 오한을 느꼈다. 유성우를 썼을 때와 비슷한 감각이었다.

츄릅 물기가 있는 소리를 남기고, 드라이어드 2호가 나에게서 떨어졌다.

"어떻게든 이어졌어."

드라이어드 2호가 만족스런 기색으로 내 손을 끌면서 요정의 고리로 들어갔다.

"그러면 출바~알."

드라이어드 2호가 윤기가 흐르는 얼굴로 출발을 외치자, 녹색으로 빛나는 포자의 고리가 원통형 게이트를 만들었다.

미약한 위화감을 느낀 다음에, 우리는 수령 1,000년쯤 되는 고목의 옹이로 이동했다.

"덕분에 살았다, 나무정령."

"응~, 괜찮아. 이쪽도 마력을 잔뜩 받았으니까.

드라이어드 2호가 이히히 웃으며 대답한 다음에 고개를 갸웃거리며 물었다.

"근데 도망 안 가도 돼?"

"도망?"

—어째서?

말이 이어지지 않았다. 드라이어드 2호가 가리킨 방향을 보고서 핏기가 가셨다.

솔직히 상급마족 본관 군이랑 대치했을 때나, 안전그물 없이 다이빙을 했을 때보다도 등줄기가 오싹했다.

나는 No.7을 어깨에 둘러메고, 드라이어드 2호에게 손을 뻗었다.

"나는 됐어. 숲이 있는 이상 안 죽으니까."

고개를 휘휘 젓는 어린 소녀의 말을 믿고서, No.7을 들쳐 메고 달렸다.

소금의 해일이 먹구름처럼 저음을 내면서 밀려들었다.

저기에 따라 잡히면 확실하게 질식사한다. 아니 그 전에 압사당하겠네.

그림자 속에 있었을 때 경험을 생각하면 나는 죽지 않을 것 같기도 하지만, 소금에 파묻혀서 비쩍 마른 채 몇 년 동안 고통 받는 것은 싫거든…….

마른 나무를 헤치고 부드러운 지면을 파헤치며 분지를 폭주했다.

〉「험로 주파」 스킬을 얻었다.

나는 흔들리는 시야에 스트레스를 느끼면서도 「험로 주파」 스킬에 더해 입수한 다음부터 방치하고 있던 「운반」 스킬에 포인트를 분배하여 유효화했다.

갑자기 달리기 편해졌다.

땅의 기복이나 나무들을 보고 달려야 할 코스나 피해야 할 코스를 추측할 수 있었다.

명백하게 속도는 올라갔지만 고작해야 자동차의 속도였다.

뒤에서 덮쳐 오는 난폭한 하얀 해일이 굉음과 함께 한 걸음 또 한 걸음 다가왔다.

—큭, 조금만 더 있으면 따라 잡힌다.

생각해라.

생각하라고!

쓸데없이 높은 지력이 뭘 위해 있는데.

지금 내 상황을 해결할 수 있는 스킬은 없다.

새로운 스킬을 배워야 하나?
빨리 달리는 「질주」 스킬은 이미 쓰고 있었다.
그러면, 뭐가 있지?

—공기가 짭짤하다.

시간이 없다고.
시선 앞에서 뭔가 빛났다.
물? 연못이나 늪인가?
아무래도 좋다. 괜한 사고에 처리를 쓰지마.
해일을 멈추려면 어떡하면 되지?
방파제, 그래 벽이다.

—벽?

스토리지의 잔해를 꺼낼까?
아니, 그러면 같이 휩쓸려서 오히려 위험이 늘어날 뿐이다.
내 사고를 막아서듯 화산탄 같은 소금 덩어리가 옆을 스치더니 전방의 연못에 떨어져 물기둥이 올랐다.
그 광경이 내 뇌리에 걸렸다.
뭐지?
포치와 타마의 울 것 같은 표정이 떠올랐다. 이 기억은 뭐지?

『주전자 화났어~?』

『주전자 아저씨가 화난 거예요.』

주마등이면 관두세요.

조금 짭짤한 물보라를 불쾌하게 느끼면서 앞으로 나아가는 데 전력을 쏟았다.

도움이 안 되는 불씨 탄환 같은 불 마법이 아니라, 흙 마법이라도 있으면 벽을 만들 수 있는데—.

—도움이 안돼?

아니, 도움이 된다.

아까 포치랑 타마 일로 떠올랐다.

나는 진로선정의 방해가 안 되도록 맵을 작게 열어서 진행 방향을 확인했다.

좋아, 가능해.

진로를 조금 대각선으로 틀어서, 지금보다 더 전력으로 달렸다.

내 다리힘을 버티지 못하고 부츠 바닥이 뚫려 버렸다. 발바닥이 따끔거리네.

목적한 포인트에 도착하기 몇 초 전에, 메뉴를 열고 준비를 완료했다.

—좋아, 방파제를 만들자!

메뉴를 생각으로 조작해서 마법을 사용했다.

물론 지금 여기서 선택하는 건 불씨 탄환뿐이었다.

고열을 뿌리는 불꽃 덩어리가 하늘을 날았다.

착탄과 동시에 그 모든 열량이 굉음과 함께 거대한 물기둥을 세웠다.

물론, 한 발이 아니다. 이어서 쏜 두 발째, 세 발째 불꽃 덩어리가 물기둥을 꿰으며 증기 덩어리를 만들었다.

『물이 기화하면 부피가 천 배가 된다고 말해봤자』

아리사가 그렇게 말했었지.

더욱이 추가로 한 발을 쏴서 증기가 되지 않은 물기둥 일부를 기화시켜 힘을 더했다.

소금의 해일이 폭발적으로 팽창하는 증기의 벽에 격돌해서 멈췄다.

—그러나, 결국 한 순간이었다. 역시 질량이 다르다.

금세 하얀 원군이 도착하여 증기의 벽을 무너뜨리고 새로운 해일이 나타났다.

증기의 벽 측면에서 돌아들어온 소금의 해일도, 좌우에서 나를 품에 안으려고 달려들었다.

이 상황을 보면 수많은 사람들이 절망이라는 말을 떠올릴 것이다.

어깨에 짊어진 No.7도 의식이 있었다면 줄곧 비명을 질렀을 것이다.

—그러니까 굳이 말하자면. 이 정도는 예상했다.

방금 전에는 한 순간의 여유가 필요했었다.

미약한 시간이, 제2포인트에 도착할 기회를 주었다.

눈앞에는 초원처럼 보이는 습지대가 있었다.

습지에 발이 잠기기 전에 다음 발을 앞으로 내밀었다. 만화 같은 달리기로 습지 위를 달렸다.

물이 충분한 구역까지 와서 다음 단계로 이동했다.

나는 뇌가 타 들어갈 것 같은 속도로 마법 리스트의 불씨 탄환을 연타했다.

노려야 되는 장소는 산술 스킬과 불 마법 스킬이 가르쳐 주었다.

두꺼운 증기의 방파제가 소금의 해일을 막아내고, 나는 무사히 분지를 둘러싼 산자락에 도착할 수 있었다.

〉「수상 주파」 스킬을 얻었다.

〉칭호 「생환자」를 얻었다.

〉칭호 「염술사」를 얻었다.

〉칭호 「업화의 패자」를 얻었다.

〉칭호 「절망을 부수는 자」를 얻었다.

◆

산을 올라서 부드러운 땅에 No.7을 눕혔다.

맵으로 보니 이 근처는 「요람」과 「긴 털 쥐 수장국」의 경계 같았다.

미아와 함께 탈출시킨 미녀들은 분지를 끼고 반대쪽 산의 정상에 있었다. 모두 무사한 모양이다.

안전 확보를 위해서 서둘러 돌아갈까 했지만, 미아 곁에는 이미 점장과 우리 애들이 있었다. 언제 도착한 거지?

휴대전화라도 있으면 무사하다고 알릴 수 있지만 없는 걸 달라고 떼를 써봤자 나오지 않을 테니, 왕도나 미궁도시에 도착하면 비슷한 기능을 가진 게 없는지 찾아봐야지.

서둘러서 돌아갈 필요가 없어졌으므로 벼랑 끝에 서서 「토라자유야의 요람」의 마지막을 지켜보았다.

분지 쪽으로 튀어나온 이 벼랑 끝은 「요람」의 영역인가 보다.

소금 안개 속에 가라앉는 거목의 윗부분을 보았다.

한층 커다랗게 피어 오른 소금 기둥이 젠의 묘비처럼 보였다.

소금 기둥이 어느 정도 진정되자, 맵에 비치고 있던 마지막 마물이 리스트에서 사라졌다.

그것에 타이밍을 맞춘 것처럼 로그가 굉장한 속도로 흐르기 시작했다.

이건 「용의 계곡」 이후 처음이네.

로그의 스크롤바를 조작해서 롤 백해 보니, 전리품의 획득 직전에 「맵 안의 모든 적을 쓰러뜨렸습니다.」라고 써 있었다.

전에 미궁에서 추측했었지만 전리품 자동 회수(오토매틱 루트)조건은 이것인가 보다.

이번에는 「원천(源泉)」 같은 표기는 없었다.

새로운 전리품은 모두 「토라자유야의 요람」이라고 쓴 폴더로 이동해 두었다.

분류는 나중에 하면 되겠지. 태반은 마물의 시체와 부서진 기재들이었다. 그밖에 젠의 마법서나 토라자유야의 방에 있던 대량의 책이 포함돼 있었다.

하얀 소금의 안개 속에서, 쓰러진 거목의 줄기나 가지가 붕괴하는 땅울림이 전해졌다.

잠시 동안 묵념하고서 등을 돌렸다.

새로운 여행길

"사토입니다. 만남이 있으면 이별이 있는 것이 여행의 참맛입니다. 편지가 주류였던 시절에는 서로 소원해지는 것도 빨랐지만, 전자메일이 보급된 이후로는 계속해서 교류를 하는 사람이 늘어난 것 같아요."

그럼 다들 기다리고 있으니 가봐야지.

맨발이 된 걸 깨닫고 스토리지에서 「깃털 장화」를 꺼냈다. 평소에는 아까 전에 망가진 부츠를 신고 다녀서, 이걸 장비하는 것도 오랜만이었다.

좀 편하게 이동하려고, 스토리지에서 꺼낸 폐자재로 지게를 만들었다.

대충 만들었지만 꽤 튼튼했다. 그리고 기절한 No.7이 이동하면서 다치지 않도록 두꺼운 시트로 감싼 다음 지게에 고정했다.

민둥산의 능선을 따라 통통 뛰듯이 달려, 생각보다 얼마 안 걸려서 모두가 있는 곳 가까이까지 왔다.

중간에 해가 져서 조금 고생했지만, 「밝은 눈」 스킬과 「험로 주파」 스킬의 힘을 빌어 달렸다.

밤이 늦었는데 다들 깨어 있었다.

굉장히 밝게 타오르는 모닥불 곁에서 야영하고 있었다. 주변에는 붉은 침 벌의 시체가 대량으로 굴러다녔고, 강아지만한 조그만 동물들이 그것을 먹으려고 모여 있었다.

나는 바위 몇 개를 뛰어 넘어서 모두가 있는 풀밭에 착지했다.

그 소리를 깨달은 포치와 타마가 모닥불 앞에서 거의 넘어질 듯이 달려왔다.

두 사람 사이를 빠져 나오는 사람이 있었다. —뜻밖에도 리자였다.

"주인니입."

리자가 눈물을 뚝뚝 흘리면서, 코맹맹이 소리로 나를 부르며 강하게 끌어안았다.

체중 차이로 밀려나지 않도록 중심을 낮추어 받아냈다. 결코 리자가 무거운 게 아니라, 소년으로 돌아간 내 몸이 가벼운 거다.

리자가 뜻밖의 행동을 해서 당황하는 틈에, 포치랑 타마도 리자와 내 몸을 기어올라 좌우에서 끌어안았다.

"어서와~?"

"인 거예요!"

둘은 그렇게 말하면서 기쁨과 안도를 제대로 표현하지 못하는 건지, 내 머리나 어깨를 가볍게 깨물더니 얼굴을 핥아댔다. 진짜 개나 고양이처럼 격렬했다.

"다녀왔다. 걱정 끼쳐서 미안."

"무사하셔서 정말 다행입니다……."

리자는 나를 끌어안은 채 얼마간 울고 있었지만, 내 말을 듣고서 눈물 섞인 한 마디로 대답한 다음 다시 한 번 울었다.

잠시 지나자, 끌어안고 있는 것을 깨달았는지 부끄러운 듯 나에게서 떨어졌다.

거기에 맞추어 포치와 타마 두 사람도 땅에 내려놓고 머리를 쓰다듬어줬다.

"걱정한 거예요!"

"다친 데 없어~?"

포치와 타마가 이쪽을 올려다보면서 걱정스레 염려해 주었다.

아리사와 루루가 아인 소녀들보다 한 발 늦게 달려왔다. 그 뒤에 점장도 있었다.

"어서 오세요."

루루가 얌전한 느낌으로 말하며 미소 지었다. 약간 고개 숙인 채 입다물고 있던 아리사의 어깨에 손을 올리더니 앞으로 밀었다.

뭔가 결심한 표정으로 고개를 든 아리사의 말을 기다렸다.

커다란 눈에 당장 흘러내릴 것처럼 눈물이 그렁그렁했다.

"……거, 걱정했잖아! 이제 그렇게 무모한 짓은 안 한다고 약속해!!"

진심으로 울부짖는 격렬한 말을 받아들였다.

사과하면서 살짝 끌어안고 등을 가볍게 토닥거려주었다.

참고 있던 눈물샘이 터졌는지, 울음을 터뜨린 아리사를 달랬다. 거기에 이끌려서 포치와 타마도 아리사와 같이 울기 시작했다.

나는 다들 울음을 그칠 때까지 몇 번이고 사과하게 되었다. 모두가 나를 걱정해서 흘리는 눈물과 잔소리가 조금 거칠어진 마음을 따뜻하게 데워주었다.

말을 걸 타이밍을 재던 점장에게 「다 끝났어요」라고 전했다. 점장의 대답은 역시 짧았다.

울음을 그치지 않는 아리사를 공주님처럼 안고서, 움직이지 못해서 모닥불 앞에 혼자 누워 있는 미아에게 다가갔다.

꽁꽁 둘러싼 No.7을 실은 지게를 내리고 미아 곁으로 갔다.

"……사토."

"다녀왔어, 미아."

"약속 지켰어."

"그럼, 당연하지."

일어나려고 하는 미아를 도와서 상반신을 일으켜 주었다.

"다시 한 번 감사를―."

미아가 어흠 작게 헛기침을 하고 말을 이었다.

"나는 보르에난 숲의 가장 어린 엘프, 라미사우야와 리리나트야의 딸, 미사날리아 보르에난. 시가 왕국의 사토, 당신에게 최대의 감사를."

그렇게 말하며 미아가 내 이마에 입을 맞추었다.

어라? 전에 말했던 아제 씨는 어머니가 아니었구나.

미인 언니라면 소개해주면 좋겠다.

〉칭호 「엘프의 친구」를 얻었다.

◆

"그런데 이 지게의 짐은 뭐야? 설마 저 거목에서 탈출할 때 보물이라도 털어 왔어?"

아리사가 빨개진 눈가를 문지르면서 꽁꽁 싸맨 No.7을 보았다.

옛 왕녀 주제에 말버릇이 안 좋아.

"이건 같이 구해낸 애야."

"애? 또 하렘 멤버를 늘리려고!"

듣기 안 좋은 말을 하네. 하렘이고 뭐고 애들밖에 없잖아. 하다못해 20대는 되어야지.

나는 지게를 지고서 가까운 바위 쪽으로 갔다.

그곳에는 미아와 함께 탈출시킨 미녀들이 넝쿨 같은 로프로 묶여서 커다란 바위 뒤에 묶여 있었다. 칭호가 「젠의 인형」이니까 적이라고 판단했겠지.

미녀들 곁에는 붉은 투구가 감시 겸 마물에게서 호위를 하며 방심하지 않고 경계하고 있었다.

"미아랑 같이 구한 애들의 자매야."

"아아, 애네들 말이지. 일곱 쌍둥인가 했더니 여덟 쌍둥이였구나.

호문클루스를 쌍둥이라고 봐도 되는 건가?

아리사의 말에 고개를 갸웃거리면서 No.7을 지게에서 내려 미녀들 곁에 눕혔다.

너무 흔들려서 그런지 상태가 아직도 「기절」이었다. 스태미나뿐 아니라 체력도 조금 줄어 있길래 보호를 위해서 싸맨 시트를 풀고 상태를 확인했다.

매우 유감이지만 확인한 건 리자다.

내가 하려고 했더니 아리사가 참견했다.

꽤 실례되는 말로 참견했지만, 냉정하게 생각해 보면 의사도 아닌 내가 몸을 봐도 어쩔 수 없다는 걸 깨달았다.

싸맨 걸 풀고서 No.7의 얼굴이 보이자, 다른 미녀들이 환성을 질렀다.

시끄러우니까 재회의 흥분이 가라앉을 즈음에 입을 다물라고 했다.

대표로 No.1이 나에게 인사를 했다.

"사토 님. 적대하고 있던 우리들의 목숨을 빼앗지 않은 것뿐 아니라, No.7까지 구하기 위해서 사력을 다해주신 점, 진심으로 감사를 드립니다."

다른 자매들도 그녀에 이어서 감사의 말을 했다. 아무래도 넘버가 적을수록 말이 유창한 모양이다.

그녀들은 「요람」이 붕괴하자 젠의 죽음을 짐작한 모양이어서, 나에게 그것을 확인하길래 솔직하게 말해줬다.

그 전에 아리사에게 부탁해서 쓴 「각성(웨이크 업)」의 정신마법으로 No.7을 기절에서 회복시켰다. 같은 이야기를 두 번하는 건 귀찮잖아.

"그러면 마스터는……."

"그래, 성불했어."

성불이라는 단어가 있는지 걱정이었지만, 개념 자체는 있는지 평범하게 납득해 주었다. 이 나라에서는 보통 「승천」이라는 말을 쓴다고 했다.

그녀들은 자매끼리 작게 의논한 뒤, 일제히 나를 돌아보았다.

뭐지?

"마스터 사토. 이제부터 우리는 새로운 마스터인 사토 님을 따르겠습니다."

거유 미녀가 조아리는 건 기쁘긴 한데, 수가 너무 많아.

무엇보다도 마른침을 삼키며 이쪽을 쳐다보는 아리사의 시선이 따갑다.

거절하는 것도 좀 아깝지만, 딱히 하렘을 만들려는 것도 아니라 거절할 말을 찾고 있었다.

"그렇지만 곁에서 모시기 전에 얼마간 시간을 받고 싶습니다. 시종의 분수를 넘는 행동인줄은 압니다만, 예전 마스터의 유품을 그 정인이 잠든 묘소에 전하고 싶습니다. 부디 용서해 주시길 바라옵니다."

젠의 유품을 부인의 묘에 전하고 싶단 말이지. 거절할 이유도 없으므로 즉시 승낙했다.

"이제부터 『요람』의 터를 탐색할 생각입니다."

흥미가 생겨서 그 유품에 대해서 물어봤는데 이런 대답이 돌아왔다.

그녀들 말에 따르면 「매리지 링」이라길래, 스토리지를 확인했더니 예상대로 「요람」의 전리품 가운데 있었다.

내가 주머니를 경유하여 스토리지에서 꺼낸 반지를 No.1에게 건넸다.

"이것은!"

"젠한테 받은 거야. 꼭 부인의 묘에 전해줘라."

"이 몸을 바쳐서라도!"

No.1이 가슴에 손을 대고 똑 부러지는 표정으로 대답했다.

아니, 그렇게 무거운 결심은 안 해도 돼.

"그러면, 곁에서 모실 한 명을 우리들 중에서 지명해 주십시오."

캬바레 클럽의 지명이라면 편하게 할 수 있지만, 얼굴이 똑같은 미녀 여덟 명 중에서 고르는 건 꽤 힘들다.

"다 같이 갔다 와도 되는데."

"아니요. 그럴 수는 없습니다."

"그럼 판단은 너희에게 맡길게."

바로 거부하길래, 그녀들에게 떠넘겼다. 우리는 벌써 다섯 명이니까 한 명 정도 늘어도 별 차이 없겠지.

그녀들은 가위바위보로 남을 자를 정했다. 거유 미녀들이 진지한 표정으로 가위바위보를 하는 모습은 상당히 비현실적이었다.

그리고 선택된 것이 No.7이었다.

"마스터, 앞으로 잘 부탁드립니다라고 선언합니다."

"그래. 잘 부탁해."

뒤에 있는 일곱 명이 분한 듯이 이를 갈았다.

그렇다. No.7은 가위바위보로 내 종자가 될 권리를 **쟁취한** 것이다.

진 사람이 남을 거라고 생각했었는데 뜻밖이네.

No.7은 부르기 어려우니까 새로운 이름을 붙였다. 별명이나 명칭 같은 거였는데 그녀의 스테이터스란에 표시되는 이름까지 바뀌었다.

"그럼, 잘 부탁해. 나나."

"네, 마스터."

다른 미녀들도 이름을 붙여달라고 했지만, 한꺼번에 생각하기 힘들어서 돌아온 후에 붙여준다고 하며 미루었다.

내가 붙인 이름을 들은 아리사가 게슴츠레한 눈으로 탓하듯 쳐다보았지만, 네이밍 센스가 없는 건 태어날 때부터 그랬으니까 포기하세요.

나나에게 이름을 붙인 것이 원인이 됐는지, 나나의 칭호가 「젠의 인형」에서 「사토의 시종」으로 변했다. 그리고 그에 호응하듯 다른 일곱 명의 칭호도 나나와 같이 변화했다.

어쩌다 보니 나나가 동행하게 되어 버렸다.

거유 미녀의 참가는 환영이지만, 실제 연령이 0세라는 것이 문제였다. No.1이 2세니까, 앞으로 2년 지나면 기괴한 말투도 나아지려나?

아리사가 불평이 가득한 표정으로 이쪽을 보고 있었다.

설득하기 어렵겠는데…….

◆

동이 트기를 기다리는 동안, 미아를 엘프의 마을까지 배웅하고 싶다고 점장에게 제안했다.

미아 본인이 바라는 것이라, 생각보다 간단히 허가를 해주었다.

두 사람의 대화는 이런 느낌이었다.

"유야."

"뭐지?"

"마을 갈래."

"배웅하마."

"됐어."

"괜찮나?"

"사토랑."

"그렇군."

조금만 더 문장으로 대화를 해주세요.

점장이 나를 불러서 손을 쥐었다. 아리사가 기쁜 듯 비명을 질렀다.

"부탁해도 되겠나?"

"미아를 배웅하는 거요? 물론 상관 없어요. 애당초 공도까지 갈 예정이었으니 그 참에 가보면 되죠."

"그렇군……."

점장은 내 손을 쥔 채, 시선을 나에게 고정했다.

저기, BL 전개는 싫거든요?

"보르에난 숲의 유사라트야가, 시가 왕국의 사토에게 청한다. 보르에난 숲의 어린 아이 미사날리아를 고향으로 바래다 주길 바란다."

"네, 맡겨 주세요."

오오, 점장이 처음으로 장문을 말했어.

애당초 이쪽에서 제안한 일이니, 나는 그의 부탁을 승낙했다.

이걸로 공도 관광을 한 다음에, 비밀의 베일에 싸인 엘프 마을 관광을 할 수 있겠다.

젠의 이야기에 따르면 선대 용사는 송환되어 본래 세계로 돌아간 모양이니, 마음 놓고 관광할 수 있겠다. 예정대로 시가 왕국 유람이 끝나면 사가 제국에 들리면 되겠네.

우리는 동이 튼 다음, 점장의 마법을 사용해 세류 시 가까운 숲으로 이동했다.

숲의 나무들이 스스로 비켜서 길을 만드는 것도 판타지 같아서 좋았지만, 「요정의 길」을 불과 10분 정도 걸었더니 세류 시 근처까지 도착했다.

이런 마법을 배우고 싶은데…….

숲 마법의 스킬은 역시나 「요정의 길(알프 로드)」에 발을 들인 순간에 입수했지만, 정작 주문이 엘프들에게만 전수하는 비밀이라 가르쳐주지 않았다.

붉은 투구는 「요람」 앞에서 헤어졌다. 점장이 숲 마법으로 바래다준다고 했지만, 그는 그냥 걸어서 마을로 돌아가 버렸다. 물론 내가 가지고 있던 마법의 손도끼도 잊지 않고 돌려주었다.

나나의 자매들은 세류 시 근처 숲까지 같이 온 다음 거기서 헤어졌다.

그녀들이 입은 미니스커트 복장은 관상용으로 좋았지만, 긴 여행에는 적합하지 않아서 나랑 리자의 예비 옷이나 외투를 나눠주었다. 여행에 필요한 물건들은 이번 전리품 속에 대부분 들어 있어서 들고 다니는데 방해가 안 될 정도로 나눠주었다.

여행을 하는데 문제가 될 법한 그녀들의 종족명은 대응책이 있었다.

이번 전리품 가운데 있던 「사람의 부적(아뮬렛 오브 휴먼)」이란 아이템인데, 종족을 인간족으로 위장할 수 있는데다가 종족 고유 능력을 은폐할 수 있었다.

이 부적은 젠이 도시 같은 데 침입할 때 쓰던 물건이라고 한다.

오리지널 야마토 석은 못 속이지만, 도시의 입구에 설치된 레플리카 야마토 석이나 일반적인 「능력 감정」 스킬로는 간파할 수 없다고 한다.

스토리지 안에 몇 개 있길래, 나나 것을 빼고 모두 No.1에게 건넸다.

이렇게 세류 시로 돌아온 우리들인데, 여관에서 한숨 자기 전에 아직 할 일이 남아 있었다.

"—그렇군. 시가 왕국에 원한을 가진 의문의 사령술사라."

"네, 우리를 구해준 6인조 검사님들이 그렇게 말씀하셨어요."

나는 위병대기소에서 기사 쏜에게 일의 전말을 설명했다. 내가 납치된 이유는 점장이랑 착각한 걸로 해두었다.

물론 전날 밤에 아리사와 함께 생각해서 지어낸 이야기다. 『6인조 검사님들』은 아리사가 알고 있는 사가 제국의 용사 일행 구성이었다.

"그건 분명 용사님 일행일 거야."

역시 유명인들인지, 이야기를 들은 기사 쏜이 딱 잘라 말했다.

마술사가 거점으로 삼고 있던 탑은 마술사의 죽음과 함께 붕괴되어 잔해의 산이 되었다고 전했다.

주인이 없는 「마술사의 탑」은 보물의 산으로 취급된다 하여, 세류 백작의 군사가 쥐 수인족의 영역을 침략하지 않도록 무너졌다고 해두었다.

정확한 장소는 전할 방법이 없어서 「회색 쥐 수장국」과 「긴털 쥐 수장국」의 경계라고만 했다.

"기다려 보라니까, 제나!"

"그래, 좀 기다려봐."

"놔주세요, 얼른 구하러 가야 돼요!"

대기소 밖에 익숙한 목소리가 들렸다.

"기사 쏜 계신가요?"

대기소에 들어온 이오나 양과 눈이 마주쳐서 인사를 했다. 그녀는 나에게 인사를 하더니 중간에 등을 돌리고 바깥으로 다시 나갔다. 미움 받을 짓이라도 했나?

그건 그렇고 그녀가 있다면 밖에서 소란을 피우는 건 제나 씨랑 릴리오, 그리고 이름은 까먹었지만 또 한 사람의 호위병 여성이겠군.

"사, 사토 씨! 무사하셨네요!"

이오나 양의 인도로 황급히 대기소로 들어온 제나 씨가 무사히 귀환한 것을 기뻐해 주었다.

"걱정을 끼쳐서—."

사과하려고 했지만 제나 씨의 울음소리가 그것을 막았다. 그 자리에 주저앉아서 아이처럼 엉엉 울어 버렸다.

나는 필사적으로 제나 씨를 달래며 걱정 끼친 것을 사과했다.

호위병들도 달래려고 했지만 이오나 양이 말렸다. 그런 배려는 필요 없어요…….

기사 쏜의 배려로, 제나 씨가 진정할 때까지 대기소 안쪽을 점령했다.

시간이 지나자, 제나 씨가 차분함을 되찾고 의자 위에서 쪼그라들어 있었다.

"죄송합니다. 어린애처럼……."

"아니, 이쪽이야말로 걱정을 끼쳤으니까요."

야근을 하고 성의 숙소로 돌아온 제나 씨가 나한테 놀러 오려고 옷을 갈아입는데, 릴리오가 내가 유괴됐다는 소식을 전했다.

그래서 그대로 영지군의 말을 빌려 나를 찾기 위해 도시를 뛰쳐나가려는 것을 호위병들이 말렸다고 한다.

자칫하면 엇갈릴뻔했네.

걱정해주는 건 기쁘지만 너무 무모하잖아요, 제나 씨.

"그렇지. 지난번 마물 소동 때문에 주지 못한 게 있어요."

"이건……."

나는 벼룩시장에서 산 귀걸이를 제나 씨에게 건넸다.

가까운 시일 안에 세류 시를 떠날 테니까 건넬 수 있을 때 건네지 않으면 언제 기회가 올지 모른다.

그렇지. 귀걸이를 보며 웃고 있는 제나 씨에게는 굉장히 말하기 어렵지만, 말을 해둬야지.

친구한테 아무 말도 안하고 출발하는 건 의리가 없잖아.

"제나 씨."

"네, 넷."

그녀의 눈을 보며 이야기했다. 그녀의 눈동자에 내 얼굴이 비쳤다.

—그렇게 빤히 쳐다보면 말하기 어려워요.

"실은 이번에 함께 납치됐던 엘프 여자애를 고향에 바래다 주는 의뢰를 받았어요. 우리 애들은 실력도 좋고, 언제까지고 행상을 쉴 수는 없으니까요."

제나 씨의 눈동자에서 빛이 사라지고 미소가 급속하게 사라졌다.

이거 뭐야, 엄청 죄책감 들어.

"엘프의 고향이면……."

"공도의 남쪽에 있다고 해요."

"세……, 세류 시에는 이제 안 돌아오시는 건가요?!"

의자에서 일어선 제나 씨가 나를 올려다보며 물었다.

나는 필사적인 모습에 압도되어서 대답했다.

"그렇지는 않아요."

"……다행이에요."

제나 씨가 힘이 빠져서 다시 의자에 앉았다.

공도나 왕도를 구경한 다음에 미궁도시 세리빌라에서 애들 수행을 마치고, 이번에는 서쪽으로 돌아서 세류 시에 돌아오는 것도 좋을지 모른다.

시가 왕국 탐방을 끝내고 출발점인 세류 시로 돌아오고 나서 주변 국가를 여행해야지.

꿈이 펼쳐지네.

"미궁도시에서 우리 애들을 수행시킬 거니까 조금 오래 있을 지도 모르지만, 세류 시에 돌아오면 여행 이야기도 들려줄 겸 제나 씨를 찾을게요."

"……네. 약속이에요."

전에 아리사와 약속한 것처럼 제나 씨하고도 손가락을 걸었다. 왕조 야마토가 남긴 풍습이라고 한다.

약속을 한 다음에 제나 씨가 웃었지만, 전에 본 것처럼 밝은 미소가 아니라 어쩐지 무리하고 있는 딱딱한 웃음이라서 조금 마음에 걸렸다…….

◆

귀환한 날은 다들 잠이 부족해서, 다음날까지 다 함께 푹 잠들었다.

다음날이 되자 다들 흩어져서 여행 준비를 시작했다.

마차는 있었지만 그것에 실을 물자를 준비해야 한다. 우리들의 식량이나 생활필수품, 그리고 말들의 먹이까지…….

이것들은 나디 씨에게 의뢰하자 조달해 주었다.

우리는 우리들 자신이 쓸 물건을 중심으로 사러 다녔다.

나나랑 아인 소녀들에게 가죽 갑옷 등의 방어구를 사주고 싶었지만, 장인들이 아인의 장비는 안 만든다면서 거절했다. 일단 나랑 나나 두 명의 방어구와 방패만 구입했다.

가죽 갑옷을 오더 메이드로 출발하는 날까지 만드는 것은 무리라서, 벨트로 조정하는 타입의 기성품을 샀다. 다소 방어력은 떨어지지만, 이러면 내가 쓰던 걸 리자도 쓸 수 있겠지.

가죽 세공 스킬도 있으니까 재료를 사다가 포치랑 타마의 가죽 갑옷을 만들어 주는 것도 방법이겠다.

나는 상회에서 무두질한 가죽이나 펠트 같은 직물, 털실이나 목면 등을 위장용 교역품으로 샀다. 무두질하기 전의 가죽이 훨씬 싸긴 했지만, 무두질할 때 냄새가 상당히 심하다고 해서 가공이 되어있는 것으로 샀다.

시가 왕국의 상거래허가증은 없었지만, 상업 길드에 금화 1닢을 냈더니 대여점 회원카드처럼 그날 바로 발행해 주었다.

마침 관청에서 체재증을 재발행한 다음이었기 때문에 수속을 생략할 수 있었다.

이번에 발행 받은 상거래허가증은 도시를 출입할 때 관세의 감면 조치가 있는 상급이 아니라 「상업 길드에서 대량의 상품을 매매해도 된다」는 최저 레벨의 상거래허가증이었다.

물론 소량의 거래라면 이런 허가증이 필요 없지만, 대량의 상품을 산 사람이 허가증을 가지고 있지 않으면 부자연스러우니까 만들었다.

구입한 소재를 살리기 위해, 가공방법이 실린 서적을 찾으러 책방에 갔다.

내벽 안쪽에 있는 책방에는, 나나에게는 뒤지지만 상당한 거유 여성이 가게를 보고 있어서 눈의 보신이 되었다— 가 아니라. 일곱 개쯤 되는 커다란 책장에 갖가지 책이 있었고 실용서 말고도 소설이나 그림책도 있었다.

참고로 지도는 없었다. 관청에서 살 수 있다고 하는데, 비싸고 구입하기 전에 시간이 걸리는 심사가 필요하다고 한다.

기본적으로 가도를 벗어나지 않는 한, 돌로 만든 도표가 이정표 역할을 해준다고 하니 헤맬 일은 없겠지.

어쩔 수 없이 지도는 포기했다. 필요해 보이는 실용서적을 점주 할아버지에게 부탁하고, 가게를 보는 세모네 여사에게는 그림책과 소설을 부탁했다.

점주가 골라준 책은 「여행과 먹을 수 있는 식물」, 「약초 사전」, 「마차 수리」를 비롯한 실용성이 넘치는 것부터 「마법 도구의 기초」 같은 로망이 넘치는 것까지 여러모로 매력적인 라인업으로 채워졌다.

사실은 가게를 통째로 사버리고 싶지만, 이건 참아야지. 유통도 안 좋아 보이는 이세계에서 책을 독점하는 것은 좋지 않다.

나는 필요한 책을 엄선하여 30권 정도로 줄였다.

책은 대단히 비싸서 전부하면 금화 10닢을 넘는 가격이었다. 오늘은 서두를 일도 없어서 여러모로 흥정이나 교섭을 거쳐 딱 금화 10닢으로 사들였다.

마법 도구(매직 아이템) 관련 서적이 조금 비쌌지만 필요한 지출이었다.

역시 판타지라면 마법 도구 제작을 해보고 싶잖아.

서점 옆에 마법 상점이 있길래 거기도 들렀다.

유감스럽게도 시민이 아니면 초급 마법서 말고는 매매할 수 없다고 한다.

마법의 두루마리에 이르러서는 종류를 불문하고 백작의 허가를 받은 일부에게만 팔 수 있다고 한다.

두루마리는 마력만 있으면 마법을 쓸 수 있으니, 어떤 의미로 병기 같은 거라고 생각하면 이해는 되는데 말이지…….

검의 매매에는 제한이 없으면서 너무 엄한데.

하는 수 없이 제한이 없는 초급 마법서를 한 세트 샀다. 꽤 비쌌지만 시세에 맞는 가격이라 불만은 없었다.

이곳의 점주는 흥정이나 교섭이 귀찮은 건지, 처음부터 시세에 맞는 가격을 불러서 그대로 깎지 않고 지불했다.

마법약도 팔길래 중급 체력 회복약(힐 포션) 몇 개하고 하급 마력 회복약을 몇 개 구입했다.

덤으로 아리사와 미아가 쓸 지팡이와 내가 쓸 짧은 지팡이도 샀다.

마법약을 만들 수 있으면 편리할 것 같아서 조합도구나 입문서가 없는지 물었더니 그런 건 연금술 가게에서 찾으라며 혼났다.

그 다음에 방문한 연금술 가게에서는 호구라고 생각했는지, 상당히 비싼 입문 세트를 팔았다.

그것뿐이라면 좋았는데, 연금술에서 가장 중요한 「연성판」의 상태가 「고장」인 것을 보고 입이 다물어지지 않았다.

겉보기에는 불량품 같지 않은 훌륭한 「연성판」이라서 갑자기 「불량품이니까 교환해달라」고 못하고, 「연성판의 의장이 마음에 안 든다」고 말해서 다른 물건으로 교환했다.

다음으로 나온 「연성판」도 같은 문제를 가진 물건이길래, 몇 번인가 같은 대화를 반복한 다음에야 드디어 제대로 된 제품을 살 수 있었다.

물론 눈썰미가 너무 정확했는지, 늙은 노움 점주에게 「감정」 스킬을 가진 것이 간파되어 버렸지만, 덕분에 이후 거래는 매끄러웠다.

하지만 거래 중, 그가 추켜세우는 것에 기분이 좋아져 용백석이라는 해독약의 연성에 쓰는 소재를 대량으로 사고 말았다. 이 낭비는 애들에겐 비밀이었다.

앞으로는 노움의 달콤한 말에 주의해야겠군…….

또한, 「연성판」이 불량이었던 것은 늙은 점주가 손님에게 내리는 시험이며, 보통은 몇 번씩 교환하러 오도록 하여 연성판을 보는 눈이나 교섭 등을 가르치기 위해서라고 한다.

이렇게 물건들을 사는 틈틈이, 루루와 함께 베테랑 마부에게 교습을 받는 등 바쁜 나날을 보낸 다음 드디어 출발하는 날이 왔다.

"주인님, 짐 다 실었습니다."

"다 됐어~?"

"완벽한 거예요!"

"그래. 먼저 마차에 올라타라."

짐을 확인한 아인 소녀들이 보고했다.

포치와 타마가 마부석 옆을 기어오르자 리자가 뒤에서 엉덩이를 밀어 마부석에 올려 주었다.

"높은 거예요!"

"경치 좋아~?"

포치와 타마가 마부석 위에서 들떠 있었다.

발돋움해서 주위를 둘러보는 건 좋은데 떨어지지 마라.

"만족했으면 마차 안으로 들어가세요. 내가 못 올라가요."

"네잉!"

"인 거예요!"

리자가 두 사람을 타이른 다음 가볍게 도약하여 마차에 탔다.

그 다음에 올라간 리자도 두 사람과 마찬가지로 마부석의 전망을 즐겼지만 그건 못 본 척 해줬다.

문전여관의 주인에게 방금 만든 도시락을 받은 루루와 나나가 리자에게 짐을 건네고 올라 탔다.

마차 뒤 절반은 짐을 가득 실어서 조금 좁아 보였다.

출발하면 「격납 가방」이나 아리사의 보물 창고에 수납할 예정이었다.

처음부터 넣어두지 않는 이유는 그런 물건이나 스킬을 가지고 있다는 걸 주위에 숨기기 위해서였다.

아이템 박스를 쓸 수 있는 자는 각 도시에 적어도 열 명 이상은 되지만, 그 유용성 때문에 귀족이나 대상인, 그리고 군대에서 수요가 높을 테니까.

자칫 눈에 들어서 강제징발 되기는 싫거든…….

우리 애들에게는 출발한 다음에 「격납 가방」에 대해 가르쳐

줘야지.

"사토."

미아가 점장과 나디 씨를 데리고 돌아왔다.

"결국 임대주택 건은 힘이 되어드리지 못해서 죄송합니다."

"아뇨. 그 인연으로 이 마차를 샀잖아요."

나디 씨가 미안한 기색으로 부탁했던 임대주택을 못 찾은 걸 사과했다.

솔직히 의뢰했다는 사실 자체를 까먹고 있었다.

"이건 점장님과 제가 드리는 선물이에요."

나디 씨가 선물이라며 준 것은 찻잎 꾸러미와 손으로 그린 간략한 지도였다.

지도는 전에 나디 씨에게 부탁한 것으로, 세류 백작령부터 공도까지 이어지는 영지나, 각 영지의 도시 이름이 쓰여 있었다.

맵이랑 「모든 맵 탐사」 마법이 있어서 영지가 어떻게 이어져 있는지 알기만 하면 헤맬 걱정은 전혀 없었다.

"미아를 부탁한다."

"네, 맡겨 두세요."

내 손을 쥐고서 진지한 표정으로 부탁하는 점장.

역시 동향의 아이를 다른 종족에게 맡기는 게 걱정되는지 평소보다 말이 길었다.

물론 뒤에서 요상한 비명을 지르는 아리사가 분위기를 망치고 있었다. 나중에 혼을 내야지.

"사토 씨, 세류 시에 오면 또 묵어주세요."
"그래, 그때는 또 들를게."
"조심해서 가. 우리 영지군은 일을 잘하니까 도적이나 마물 같은 게 별로 안 나오지만, 다른 영지는 도적이 많다고 들었어."
"배려 감사합니다. 조심할게요."
마사와 마담과도 작별인사를 나누고 마차를 발진시켰다.
그때 어린 목소리가 끼어들었다.
"기다려~."
"유니~?"
"유니인 거예요!"
루루에게 마차를 멈추라고 하고, 유니가 도착하기를 기다렸다.
"이거, 포치랑 타마한테."
황급히 달려온 유니가 나무 열매 몇 개를 끈으로 묶어 만든 목걸이를 작별선물로 주었다. 어린 아이다운 귀여운 선물이네.
"유니, 감사~."
"고마워 인 거예요. 소중하게 먹는 거예요."
아니, 먹으면 안 되지.
포치의 말에, 유니가 울상을 지으며 복잡한 표정을 지었다.
"이건 석화 열매로 만든 목걸이니까 먹으면 배탈 나."
"유감~?"
"그러면, 소중하게 지니고 다니는 거예요!"

"응!"

석화 열매는 양육시설에서 양자로 가는 애한테 보내는 길한 물건이라고, 마사가 귀띔해 주었다.

셋이서 끌어안고 작별을 아쉬워했다. 때를 봐서 리자랑 마사가 말을 걸어서 작별인사를 나누었다.

"꼭 글자 배워서 편지 쓸게!"

"타마도 쓸게~."

"포치도 쓰는 거예요!"

편지라. 그립네. 그렇지. 유니가 문자를 배우는데 도움이 될 테니까 그 학습 카드를 선물하자.

카드의 그림은 대강 기억했으니까, 우리 애들한테는 내가 같은 걸 만들어주면 되겠지. 카드를 만드는 스킬은 다 있으니까.

"유니, 이 카드를 받아라."

"네?! 괜찮아요?"

황송해하는 유니에게 학습 카드를 건넸다.

"그래, 두 세트 있으니까 하나 줄게."

"고맙습니다. 이걸로 하루라도 빨리 문자를 배울게요."

"타마도 안 져~?"

"포치는 그림책을 그릴 정도로 배우는 거예요!"

아쉬워하는 세 사람에게는 미안하지만, 이제 출발하자.

마중 나온 사람들에게 손을 흔들며, 마부를 맡은 루루에게 출발을 지시했다.

나는 중앙 길 너머에 보이는 성을 한 번 바라보았다.

제나 씨에게도 오늘 아침에 출발한다고 말을 했는데, 마중 나오지 않았다. 맵으로 보니 성의 숙소에서 움직일 기색이 없었다.

벌써 날이 밝은지 네 시간 이상 지났으니, 몇 시까지 기다려도 마찬가지겠지.

◆

세류 시의 정문을 빠져나가자 아리사가 질문했다.

"오늘 예정은 어디까지야? 이 시간이라면 다른 도시까지는 못 가고, 가도 근처의 마을에 묵으려고?"

"마을엔 안 들러. 나디 씨 말로는 아인 차별은 도시보다 촌락이 더 심하다고 하니까 적당한 데서 노숙할 셈이다."

아리사에게 대답하면서, 주변을 경계하기 위해 레이더 유효범위를 최대까지 넓혔다.

최대로 넓히면 300미터쯤 되네.

"노숙~?"

"들판에서 모닥불 피우고, 그 주변에 침상을 깔고 자는 거야."

"야영할 때랑 같은 거예요?"

"그래."

내 설명에 포치가 눈을 반짝거리며 묻길래 고개를 끄덕였다.
“와~아.”
“인 거예요!”
어째선가 둘이 통통 뛰면서 좋아했다. 그 움직임에 놀란 말들이 멈춰버렸다.
리자에게 혼난 두 사람에게 노숙을 기뻐하는 이유를 물었다.
“같이 자면 기뻐~?”
“주인님이랑 같이 자는 거예요! 기쁜 거예요!”
만면의 미소를 짓는 포치와 타마의 머리를 쓰다듬었다.
“출발해도 될까요?”
“그래—.”
루루가 묻길래 긍정하려고 했는데, 레이더에 우리들 말고 파란 광점이 보였다.
파란색은 마킹한 사람. 다시 말해서 지인이다.
“잠깐만 기다려.”
맵을 열어서 광점의 인물이 누군가 조사할 필요는 없었다.
“—사토 씨이이이이이이!”
나를 부르는 목소리에 정문 쪽을 돌아보니, 백마를 탄 제나 씨가 보였다.
아리사가 뒤에서 「현지처의 역습?」이라고 했지만 묵살했다.
루루에게 지시하여 가도를 가는 사람들이나 마차들을 방해하지 않도록 마차를 갓길에 세웠다.

"사토 씨!"

바람에 흐트러진 머리칼을 손으로 누르면서 제나 씨가 말을 몰아 다가왔다. 말을 타기에는 안 어울리는 파란 드레스 차림이었다. 데이트할 때처럼 화장까지 했네.

"안 늦어서 다행이에요!"

"이쪽이야말로 출발하기 전에 만나서 다행이네요."

제나 씨니까 집을 버리고 막무가내로 함께 따라오는 전개는 없겠지만, 기합이 들어간 화장이나 드레스를 보면 지레짐작은 금물이었다.

"……계속 생각을 해봤어요."

나는 제나 씨의 진지함에 눌려서 말이 이어지기를 기다렸다.

"저는 집을 버리고 연인 곁으로 달려가는, 리루티에나 공주 같은 일은 못해요."

집안을 중시하는 세상에서 자랐다면 당연한 사고방식이었다.

아리사가 조금 불만스러워 보였지만, 괜한 말을 할 생각은 없어 보이길래 제나 씨의 말에 집중했다.

"그러니까, 저는 사토 씨한테 『저도 데려가 달라』고는 못해요."

"같이 가자~?"

"제나도 같이 가는 거예요!"

포치랑 타마는 묵직한 분위기를 걷어차면서 제나 씨에게 말했다.

"고마워. 하지만 **지금**은 같이 못 간단다."

제나 씨는 둘에게 인사를 하고 나에게 시선을 되돌렸다.

—잠깐, 방금 「지금」을 강조하지 않으셨는지?

"봄이되면 동생도 성인이 되어 가업을 잇게 됩니다. 그 다음에는 자유롭게 지내도 된다고 동생의 허가를 받았어요. 그러니까 봄이 되면—."

거기서 한 번 말을 끊고서, 뭔가 떨쳐내듯 말을 이었다.

제나 씨의 시선은 나를 계속 놓치지 않고 있었다.

"—저도 미궁도시로 갈게요!"

……후우, 프로포즈라도 하지 않을까 싶어서 초조했잖아.

중간에 부끄러워졌는지, 제나 씨의 시선이 아리사에게 향했다.

"아리사, 그 때 승부를 내는 거야!"

"흐흥. 뒤늦게 따라오는 아가씨한테 승산이 있을까 몰라? 미궁도시에 도착했을 때 나랑 주인님의 아기를 보고 이를 갈게 되어도 나는 몰라?"

……아무리 그래도 그럴 일은 없거든?

아리사가 기가 살아서 악역처럼 호호호 웃었다. 어린애들 세 명이 따라하니까 관둬라.

큰 도시에 도착하면, 반드시 제나 씨에게 편지를 쓴다고 약속했다.

좀 부끄럽게도 손가락을 걸고 약속했다. 손가락 걸기를 이렇게 많이 한 건 어렸을 때 이후 처음이네.

손가락 걸기를 한 다음에 구부린 새끼손가락을 황홀한 듯 바라보는 제나 씨에게 작별인사를 했다.

"그러면, 제나 씨. 미궁도시 세리빌라에서 다시 만나기를 기대하고 있을게요."

"네, 사토 씨! 그때까지 기다려 주세요!"

작별이 울적한 분위기로 끝나지 않은 건 다행이네.

해님 같은 미소를 지으며 손을 흔드는 제나 씨에게 마주 손을 흔들었다.

맑게 갠 날에 어울리는 밝은 미소였다.

그녀의 볼에 흐르는 한줄기 눈물은 못 본 척하고, 그녀의 모습이 보이지 않을 때까지 크게 손을 흔들었다.

"그런 표정 짓지마. 앞으로는 내가 옆에 있으니까."

아리사가 마부석의 등받이 너머에서 내 머리를 톡톡 두드렸다.

"배 아파~?"

"아픈 거예요?"

"사토?"

아리사를 밀어낸 아이들 셋이 걱정스레 올려보길래 「괜찮아」 하며 미소 지었다.

"마스터, 쓸쓸할 때는 여자의 가슴에 안겨 우는 것이 제일이라는 행동 라이브러리가 있습니다."

나나가 상냥한 손길로 나를 가슴으로 끌어안았다.

푹신하고 부드럽고 상냥한 향기에 쓸쓸함이 약간 치유되었다.

"자, 잠깐만! 그건 반칙이야! 루루도 보지만 말고 저항해!"

"안돼, 아리사. 마차를 몰고 있을 때는 앞을 봐야지."

아리사가 분개하길래, 나나의 치유 공간에서 몸을 일으켰다.

리자가 내민 과실수를, 친구와 헤어진 쓸쓸함과 함께 들이켰다.

달그락달그락, 덜컹덜컹 소리를 내면서 마차가 나아갔다.

타마를 무릎에 태우고, 포치를 어깨에 올린 나는 앞을 바라보았다.

자, 이세계 여행을 즐겨볼까!

■작가 후기

안녕하세요. 아이나나 히로입니다.

이번에『데스마치에서 시작되는 이세계광상곡』제2권을 선택해주셔서 감사합니다!

이대로 3권, 4권으로 계속 이어지는 재미있는 이야기를 만들어가고자 합니다.

그러니 구매할까 망설이는 당신도 부디 계산대까지 가지고 가주시면 좋겠습니다.

이 작품은 인터넷에 공개되어 있습니다만, 기존 독자 분과 서적만 접하는 분 모두 즐길 수 있도록 인터넷 상의 이야기를 베이스로 대폭 가필을 했습니다.

일단 본작의 볼거리를 소개합니다.

WEB판을 읽어주신 분께서는 표지에 거목이 있는 것을 눈치채셨을까요?

햇살 너머로 살짝 보이는 거목이 이번 모험의 무대입니다. WEB판을 보신 분은 표지를 보고서「어라? 이런 장면 있었나?」라거나 「설마 엘프의 숲 편까지 스킵하는 거냐!」라고 놀라셨을지도 모르겠습니다.

그렇게까지 무모한 짓은 안 하니까 안심하세요!

무대가 연속으로 지하가 되는 원패턴을 피하려고 새로운 무대를 준비했습니다. 그 생각 때문에 마지막 사토의 활약이 완전히 다른 장면이 되었습니다.

1권에서도 WEB판과 다르게 나온 사람들이 있습니다만, 2권에서도 등장인물 일부의 운명이 바뀌었습니다. 물론 메인 캐릭터는 바뀌지 않았어요. 어떤 운명이 기다리고 있는지 본편을 읽어보시면 압니다.

2권 표지에서 가장 눈에 띄는 장소에 있는 보라색 머리칼의 소녀 아리사가 여러모로 활약합니다.

암요. 참으로 여러모로…….

한편, 역시 표지에 나온 얌전한 흑발의 루루는 사토와 엮이는 에피소드를 추가하여 WEB판보다는 비중이 늘어났습니다. WEB판 그대로라면 세류 시를 출발하기 전까지 완전히 공기니까요.

그러나 2권에서 활약하는 것은 이 두 사람으로 끝이 아닙니다.

물론 포치, 타마, 리자 세 아인 소녀들이 새롭게 등장하는 멤버에게 뒤지지 않는 활약을 하고, 1권보다는 얌전하지만 제나 씨나 릴리오를 비롯한 영지군 여러분들의 활약도 있습니다. 마사와 유니도 건강하게 등장합니다.

그리고 전국 3만 명의 나디 씨 팬 여러분! 기다리셨습니다. 1권에서는 모든 장면을 제나 씨에게 빼앗긴 그녀도 드디어 2권에서 등장했습니다.

아, 물론 점장님도 나와요.

1권 마지막과 달리, 최종 END 같은 마무리를 했습니다만 앞으로도 이어지니까 안심해 주세요.

3권은 1권, 2권하고는 취지를 바꾸어, 유유자적 여행기 & 물품 제작 이야기로 가볼까 생각하고 있습니다.

도시 안에서 데이트를 하다가 폭동이나 미궁 탄생에 말려드는 데스마치의 세계니까 정말로 그런 이야기가 될지는 모르겠지만요…….

분명히 이상한 방향으로 가게 되면 유능한 편집자님이 막아주실 테니까 괜찮을 거예요.

그럼 이제 드릴 말씀도 더 없으니 감사 인사를 하려고 합니다.

언제나 정확한 디렉션을 해주시는 담당자 H 씨는 아무리 감사를 해도 부족할 정도입니다. 이해가 어렵지 않을까 염려하며 제출한 부분에 확실하게 태클을 걸어주시니 방심할 수 없습니다.

신인 주제에 마감 연장을 부탁했는데도 흔쾌히 스케줄 조정을 해주시는 등 여러모로 폐를 끼쳤습니다만, 앞으로도 지도편달을 부탁드립니다.

그리고 언제나 근사한 일러스트로 데스마치 세계를 표현해주시는 shri 님께 감사드립니다!

특히 이번 표지는 너무나 근사합니다. 이 표지를 벽지 삼은 덕분에 서투른 교정작업을 마칠 수 있었습니다. 아리사의 미소에 위로를 받으며 3권의 플롯 작성에 도전하려고 합니다.

후지미쇼보의 여러분, 교정, 인쇄, 제본, 유통, 그리고 서점에서 일하는 여러분께도 감사를!

여러분이 뒤에서 지탱해주셨기 때문에 이 작품이 세상에 나올 수 있었습니다.

그리고 무엇보다도, 독자 여러분께 감사를!

이 작품을 마지막까지 읽어주셔서 감사합니다!

다음 권에서 또 만나요!

아이나나 히로

■역자 후기

안녕하세요. 불초 역자 또 한 번 인사 올립니다.

후기를 쓰고 있는 지금, 추석도 지나서 슬그머니 날이 선선해지고 있습니다. 독자 여러분께서는 감기 조심하시고 추석 잘 보내셨기를 바랍니다. 어? 역자요? 훗.

역자에게는 두 가지 날이 있습니다. 마감이 좀 느긋한 날과, 마감이 가까워서 멘붕하는 날이죠! 추석이요? 먹는 건가요? 그까짓 거 마감 앞에서는 아무런 의미가 없습니다! 음하하하!

단, 마감이 내일 모레라도 마음먹기에 따라서 느긋하다는 함정이 있…… 사, 살기! 편집부 방향에서 거대한 살기가 느껴집니다!

요즘 역자는 괴롭습니다. 외국인 형아들이 자꾸 괴롭혀요. 지난번 후기에서도 그 편린을 보실 수 있습니다. JB 형아가 말이죠. 막 역자가 열심히 번역해서 번 돈을 119달러나 뜯어 갔다니까요? ……그, 그래도 정말로 일하는데도 쓰고 있습니다.

그리고 또 GN이란 형이 있는데요. 막 수시로 세일 포션을 먹여서 은행 잔고를 털어가는 무서운 형입니다. 이 형은 속사포 스타일이죠. 한 방 한 방은 가벼운데 다 모아놓고 보면은 어느 틈엔가 막 라이브러리에 게임 400개……가 아니라 400방은 맞는다니까요? 가끔 좀 무거운 펀치가 있는데 그거 준비하는 시간이 엄청 오래 걸려요. 그노무 컨트롤러 기다린 게 햇수로 3년째……가 아니라 아무튼 펀치 준비하는데 오래 걸립니다.

그런가 하면 잠잠하다가 생각지도 못한 타이밍이 툭 튀어나오더니 강력한 걸로 빵빵 때려주는 형이 있습니다. SN이란 형인데요. 파란 화면만 보면 고맙다고 해야 될 것 같은 BG란 형한테 세계구 조직을 물려받은 무서운 형입니다. 그나마 BG 형은 거물답게 좀 묵직하게 아랫것들은 별로 신경 안 쓰고 지내셨는데 좀 젊은 SN 형이 조직을 물려받으니까 이 형이 막 가볍게 움직이면서 역자 같은 사람들도 신경을 쓰기 시작하는 겁니다. 엊그제 이 형한테 얻어 터져서 정신이 없어요. 크억.

어, 그러니까 결론이 뭐냐면 말이죠.

빌 선생님, 서피스북이 갖고 싶어요……! 제발 가격에 자비 좀!

……여, 열심히 일해서 돈을 벌어보겠습니다. 역자가 과연

서피스북을 지를 수 있을 것인가! 그것은 독자 여러분께 달려 있습니다! 여러분 파이팅! 다음에 또 뵈어요!

데스마치에서 시작되는 이세계 광상곡 2

1판 1쇄 발행 2015년 11월 10일
1판 6쇄 발행 2017년 2월 13일

지은이_ Hiro Ainana
일러스트_ shri
옮긴이_ 박경용

발행인_ 신현호
편집실장_ 김은주
편집진행_ 최은진 · 김기준 · 김승신 · 원현선
편집디자인_ 양우연
국제업무_ 정아라
관리 · 영업_ 김민원 · 조인희

펴낸곳_ (주)디앤씨미디어
등록_ 2002년 4월 25일 제20-260호
주소_ 서울시 구로구 디지털로 26길 111 JnK디지털타워 503호
전화_ 02-333-2513(대표)
팩시밀리_ 02-333-2514
이메일_ lnovelpiya@naver.com
L노벨 공식 카페_ http://cafe.naver.com/lnovel11

원제 DEATH MARCHING TO THE PARALLEL WORLD RHAPSODY Vol.2

Edited by FUJIMISHOBO
First published in Japan in 2014 by KADOKAWA CORPORATION, Tokyo.
Korean translation rights arranged with KADOKAWA CORPORATION, Tokyo.

ISBN 979-11-86906-01-9 04830
ISBN 979-11-86906-00-2 (세트)

값 8,500원